글이 내게 물어온 바에 대하여

안승혁 지음

글이 내게 물어온 바에 대하여

발　행 | 2023년 12월 08일
저　자 | 안승혁
펴낸이 | 한건희
펴낸곳 | 주식회사 부크크
출판사등록 | 2014.07.15.(제2014-16호)
주　소 | 서울특별시 금천구 가산디지털1로 119 SK트윈타워 A동 305호
전　화 | 1670-8316
이메일 | info@bookk.co.kr

ISBN | 979-11-410-5814-2

www.bookk.co.kr

글이 내게 물어온 바에 대하여

안승혁 지음

CONTENT

들어가며

어느날 평소처럼 조용한 방, 그 안에서도 구석에 앉아 조용히 책을 본다. 차 지나가는 소리와 간간히 들리는 새소리가 독서를 도와준다. 지루한 책을 고른 걸까 잠시 고개를 들어 본다. 왼쪽에도 오른쪽에도 책장이 있고 그 안에는 책이 빽빽이 꽂혀 있다. 꼿꼿이 서있는 책 위에도 책이 누워있고 그 앞에도 책이 누워 쌓여 있다. 책장의 아래부터 위까지 모두 책이 채워져 있고 책장의 지붕에도 책은 층층이 쌓여 있다. 그 중에는 처음부터 끝까지 읽은 책도 있고 중간까지만 읽은 책, 도입부만 읽은 책도 있다. 밑줄을 치며 꼼꼼히 읽은 책이 있고 속독을 하듯 훑어가듯 읽은 책도 있으며 책을 후루룩 넘기며 페이지 넘기는 냄새만 맡은 책도 있다. 마치 음식처럼 다양한 세계의 음식을 먹으며 입에 맞는 것도 있었고 맞지 않는 것도 있었음을 느낀다. 음식과 다른 점은 책은 내 손에 남아있다는 것이고 음식은 머릿속에 느낌으로 남아있다는 점이다.

나는 연간 100권에서 130여 권을 구입하고 읽는다. 방금 말했듯 나의 독서 편력은 제멋대로라서 입에 맞으면 읽고 맞지 않는다면 싫증을 낸다. 이 편력은 오로지 나의 내밀한 취향이어서 놀랍게도 세계의 누구도 지탄하지 못하고 알 수도 없다. 독서는 그 자체로 내밀한 행위이고 타인과 함께 수행하고 싶어도 할 수 없는 근원적인 고독을 근원에 탑재하고 있다. 인간이 온전히 혼자가 되는 시간, 혼자가 되었을 때 비로소 자신의 의식만이 흘러가고 있음을 느끼는 순간이 독서의 시간이다. 독서의 시간에서 발견하는 나는 사뭇 낯설 수밖에 없다. 타인 앞에서 짓는 표정, 타인이 잘 알아들을 수 있도록 짐짓 짓는 표정이 아니라 혼자 있을 때 짓는 표정을 본 적이 있는가? 비로소 자신으로 존재할 때 자신을 본 적이 있는지를 묻는 것이다. 우리 대부분은 그러한 시도를 하는 일이 드물 뿐만 아니라 세상은 그런 시도가 이루어질 시간과 공간 자체를 허락하지 않는다. 그러므로 이 시대에 독서는 즐길 것 많은 세상에서 뒤로 밀려날 지루한 무언가가 아니다. 순식간에 일 년이 가고, 오 년이 가고 나이의 앞자리 수가 바뀌는 때에 단 한 순간이라도 자신으로 존재하고 있음을 자각하게 해주는 행위가 독서다.

내밀한 세계에서 벌어지는 자신을 자각할 때 고속열차에 탄 것마냥 자신의 힘은 하나도 들이지 않고서도 수 백 킬로미터를 이동한 어리둥절한 상황에서 벗어날 수 있다. 내밀의 세계에서 발견한 자신이 낯설게 보일 때 나는 어떤 사람인지 단서를 찾아갈 수 있다. 타인이 지정하고 사회가 규정한 나는 허상일 뿐이다. 지위로 한정되고 성별로 한정되고 그저 한 순간의 인상만으로 "누구 씨는 이런 사람인가봐", "누구 씨는 이런 류네" 하는 말에 흔들리는 자라면 위기에 놓인 셈이다. 흔들리는 터전에 서서 휘청휘청 걸어가는 것은 인생의 모험으로 족하다. 그 흔들리는 여정에서 타인이 던진 콩알 주머니에 휘청여 넘어진다면 생각의 근육이 약해진 탓이다.

세상은 늘 우리를 화나게 한다. 사람들은 늘 우리를 지치게 만든다. 독서만이 구원이다. 책은 내가 부르지 않는다면 그 자리에 고요히 좌정해 있다. 오직 내가 부를 때만 책은 내게로 온다. 그리고 내가 가는 만큼만 책은 동행하고 내가 멈출 때 책도 멈춘다. 글은 그렇게 재촉하지도 않고 방관하지도 않는다. 책이 그 자리에 고요하게 존재한다고 해서 우리에게 아무런 말도 건네지 않는다고 생각하면 오산이다. 꽂혀있는 서가에서, 쌓여 있는 책들이 나를 응시하고 있다고 생각한 적이 없는가? 나의 게으름으로 읽지 않고 방치된 책에 대한 죄책감 같은 부정적 감정 혹은 다시금 읽어야 할 순간이 왔다고, 자신을 고무시키고 싶다는 순간이 왔다는 긍정적 열정이 든다면 그것은 책의 목소리를 들은 것이다.

책은 끊임없이 우리에게 대화를 시도하고 있다. 읽으라고, 성장하라고 하는 목소리 따위가 아니다. 나 자신을 잃지 말라는 목소리다. 책이란 지식과 정보를 얻거나 타인 앞에서 뽐내기 위한 수단이 결코 아니다. 글은 기어코 책이 되고 책은 기어코 독서를 수반한다. 독서의 고독은 사람을 사람으로, 인간을 인간으로, 나를 나로서 서게 한다. 쇼펜하우어가 말했듯, 우리의 비극은 홀로 있는 시간을 견뎌내지 못하는 데서 온다.

올해도 책은 성실하게 나에게 대화를 청해온다. 그러나 그 친절한 제안에 응답할 때도 있었고 회피한 적도 많았다. 그 제안에 응하면 내겐 누구도 빼앗아 갈 수 없는 아늑한 나만의 세계가 펼쳐

졌고 거절했을 땐 타인의 세계에 휩싸여 살았다. 늘 세상은 나를 빼앗아 가려 했고 책은 늘 나를 구원해 내기 위해 필사적이었다. 그런 점에서 책은 영혼이 있다고 생각한다. 책은 언제나 내 편이었으며 사심 없이 나를 보듬어 주었다. 책의 그러한 마음을 이해하고 나서야 책의 목소리를 더욱 뚜렷이 들을 수 있었다.

두 번째 책을 낸 것은 책의 목소리를 희미하게 들었기 때문이다. 독서 중에 들려왔던 목소리가 '우주에서 멀찍이 들려온' 소리다. 이제는 그 목소리가 더욱 뚜렷이 들린다. 오해를 마시라. 누가 보면 환청을 들어 정신병동에 가야 하는지 저자를 의심할 수도 있겠다. 나는 한 명의 성실한 애서가일 뿐이다. 평소에 쓰는 일기는 어느새 일 년이 지나지도 않았는데 3권의 책이 되었다. 매일매일 쓰고 또 쓰고 있다. 책도 읽고 또 읽고 있기 때문에 늘어만 간다. 일기라는 사적 글쓰기의 영역에 책이 말을 건 목소리의 응답을 모두 적을 수 있었지만 그렇게 하지 않고 별도의 책을 낸 이유는 따로 있다. 바로 사적 글쓰기와 공적 글쓰기의 차이다.

책을 읽으면 수필이자 에세이인 글에 공적 글쓰기가 어디 있겠냐고 타박을 할 수도 있다. 지당한 비판이지만 개인적 차원에서 그렇지만도 않다. 일기는 온전히 내가 창조한 세계이며 그곳에서의 룰조차도 저자가 온전히 다스릴 수 있다. 틀린 생각, 어긋난 시선조차도 내 세계에선 옳다. 그곳은 작게는 나만의 놀이터이자 나만의 아지트이며 크게는 세계이며 우주다. 그러나 자유로운 사적 놀이터에서 천 년 만 년 노닌다 한들 그것이 무슨 의미가 있을까. 결국 사람으로 태어났다는 것은 타인과 결부되지 않아서는 하등의 의미가 없다는 것을 의미한다. 홀로 존재할 수 있는 인간人間은 없기 때문이다. 그래서 독서라는 일인一人의 행위도 종국에는 타인과 접점을 마련할 수밖에 없다. 읽는 행위는 언제나 그 결말에 쓰는 행위를 수반한다. 쓰는 행위는 다시 읽는 행위를 수반한다. 이 둘은 구별되지만 하나이며 구분될 수 없는 동전과도 같다. 뒷면을 보았다고 동전이라고 하지 않을 것이며, 앞면을 보았다고 동전이라고 하지 않을 것인가?

책은 고독의 시간을 충분히 보낸 나를 사적 글쓰기로 권유하고 그리고 충분히 누적된 일기는 나를 공적 글쓰기로 권유한다. 이것이 내가 사람들 앞에 남루한 글을 보일 수밖에 없는 이유다. 마치 학예회와 같이 참담한 자신의 실력이지만 부끄러움을 무릅쓰고 사람들 앞에 나 자신을 보이는 일이다. 그러나 무대 앞에 서는 일이 두려운 것보다 즐겁고 기대되는 것은 무대를 바라보는 사람들이 모두 나를 사랑하고 어여삐 본다는 데 있다. 그들은 내가 잘났고 대단해서 나를 보러온 것이 아니다. 아, 이는 감정을 타고난 동물이 느낄 수 있는 행복이 아닌가. 그래서 나는 어린 아이가 부모 앞에서 필사의 힘으로 몸을 뒤집고 일어서 기어코 걷는 모습을 보여 부모의 함박웃음과 박수 소리를 듣고자 펜을 잡는지도 모른다. 독서와 글을 통해 고독을 배우고 그 안에서 발견한 나를 소중히 여기며 이 과정을 타인 앞에 당당히 세우는 일, 타인과 나 앞에서 꿋꿋하게 선 나를 자각하는 과정은 참으로 아름답다.

여기 세 번째 졸작을 내어놓는다. 그저 한 사람의 애서가로서 책의 목소리를 듣고 그 권유대로 내가 되는 과정의 한 부분을 적어놓았다. 모두가 고군분투하는 세상에서 각자가 사랑하는 책과 글을 통해 스스로를 독려하고 글로써 자기를 북돋으며 그렇게 세상에서 자존을 지키며 서는 과정을 맛보길 바란다. 이 책은 2023년 한 해 동안 책과 동행한 과정 절반을 적어냈다. 두 번째 책처럼 한 권의 책으로 내는 것을 고려했지만 온전히 완독하지 못한 책도 있고 독자의 입장에서도 긴 호흡으로 읽으면 흥미가 많이 떨어질 것을 우려해 두 번에 걸쳐 적은 분량의 책자로 내고자 했다. 언제나 나를 지키며 걱정하며 믿어 의심치 않는 부모님과 동생, 스스로 자존을 지키며 응원하는 나 자신에게도 어깨를 감싸는 위로의 마음으로 책을 바친다.

향유하는 사람보다 참여하는 사람이 그것을 더 사랑할 수밖에 없다. 사랑하지 않고서는 온몸으로 참여할 수가 없다. 혹은 온몸으로 참여하면 더 사랑하게 된다. 그리하여 그것을 속속들이 싫어하고 낱낱이 사랑하게 된다. 글을 읽을 때보다 쓸 때, 춤을 볼 때보다 출 때, 피아노를 들을 때보다 칠 때 나는 구석구석 사랑하고 티끌까지 고심하느라 최선을 다해 살아 있게 된다. 글이 어려운 만큼 글을 사랑하게 된다. 피아노가 두려운 만큼 피아노를 사랑하게 된다. 나는 피아노를 사랑하기 때문에 피아노가 두려운 것이다. (...) 성실하지 않고서는 사랑을 표현할 수 없다. 혹은 성실하게 표현되지 않는 사랑은 사랑이라고 부를 수가 없다. 나는 사랑은 성실로 증명된다는 원칙에 복무하기 위해 사랑하는 온갖 것에 나의 성실을 바쳐왔다.

김겨울, 『아무튼 피아노』(제철소, 2022)

대개 '누군가가 하는 일이 쉬워 보인다면 그 사람은 필시 전문가다.'라는 말이 떠도는 걸 듣는다. 명작이거나 전시회에 걸릴 정도의 그림. 아니 누가 봐도 잘 그렸다는 평가를 받는 그림이어야 우리는 '그래, 그림이네. 잘 그렸네.'라는 평가를 한다. 그 아래 수준의 그림과 음악, 운동능력, 더 나아가 외모와 업무능력, 심지어 착하고 못된 성격까지 극단적이지 않으면 도통 사람들은 알아주질 않는다.

김난도 교수의 『트렌드코리아 2024』는 최근의 사회를 '분초사회'라고 정의한다. 사람들에겐 소유보다 경험이 더 중요해지면서 만인에게 평등하게 주어진 시간이 무엇보다 중요해졌다는 뜻이다. 시간은 돈과 달리 그 양을 늘리거나 줄일 수 없으니까. 그래서 사람들은 제한된 시간 내에서 최상의 실력을 가진 연주와 그림을 감상하고 극대화된 효율성과 만족감을 달성코자 한다.

아, 그런데 피아노를 배운 날부터 나는 새로운 종교에 귀의한 듯 마음가짐이 달라졌다. 비단 피아노에 국한된 이야기는 아니다. 누군가는 서예에, 누군가는 유화에, 누군가는 독서에, 누군가는 달리기에 심취한다. 이 모든 것들의 공통점은 쉽게 단 물을 내주지 않는다는 데 있다. 그들은 우리에게 무한한 고통을 선사하고 철저한 고독과 내면의 적막을 겪어야 한다고 가르친다. 단 한 순간도 예외가 없다. 그러나 아나운서 김정현이 어느 인터뷰에서 했던 말이 떠오른다. '젊은 나이지만 서른 살 즈음 살아오니 웬만한 즐거움이 대충 어떤 것인지 알게 되었다. 여행이나 맛있는 음식, 소유나 사랑 등등. 앞으로 겪게 될 즐거움도 여기서 크게 벗어나지 않을 것 같다는 생각을 했다. 그런데 피아노를 연습하는 지겨울 정도로 긴 고독의 시간 끝에 평소에 절대로 되지 않을 것 같았던 연주가 가능하게 되는 순간을 맞이한다. 그 순간 세상의 어떤 희열도 비교가 되지 않는 환희가 찾아 왔다.'(의역) 그래, 나도 저 순간을 찾았다! 피아노는 내게 새로운 세상을 열어 제쳐주었다.

여가 시간을 최대한으로 활용하려면 일을 할 때처럼 창조력을 발휘하고 정력을 쏟아야 한다. 사람을 성숙시키는 능동적 여가는 저절로 굴러오는 게 아니다 (...) 모든 민속 예술-각각의 문화에 특별한 개성과 명성을 주는 노래, 자수, 도자기, 조각 등은 일을 하고 남은 시간에 자신의 기량을 표현하려고 노력한 평범한 사람들이 이루어낸 것이다. 우리의 선조가 자유로운 시간에 아름다움과 지식을 추구하는 대신 수동적 여가 활동으로 일관했다면 지금의 세상은 얼마나 따분할까. (...) 우리는 그들이 살아가는 방식을 보며 남아도는 시간을 두려워할 이유가 조금도 없다는 것을 배우게 된다. 일이 여가처럼 즐거우며, 일을 잠시 접어두었을 때는 마음을 텅 비게 만드는 여가가 아니라 진정한 재충전으로서의 여가를 즐길 수 있게 된다.

미하이 칙센트미하이, 『몰입의 즐거움』 (해냄,2007)

오은영 박사가 방송에 나와 한 말이 기억난다. 집에 와서 잠들 때까지 계속 누워있으며 할 일을 미루는 사람은 게을러서가 아니라 사실은 어떤 일을 완벽하게 하고 싶어 하는 사람이라고. 일면 게을러 보이는 행동은 일의 수행을 위해 에너지를 비축하는 시간이며 한 번 일을 시작하면 고도의 에너지를 쏟는 사람들의 심리라고 했다.

우리는 하루 종일 스마트폰을 통해 엄청난 양의 정보를 받아들인다. 그것이 자의이건 타의이건 상관없이 어쩌면 우리 뇌가 수십만 년의 역사 속에서 가장 많은 정보를 받아들이는 하루하루를 보내고 있을 테다. 당연히 뇌는 구석기 시절의 하드웨어다. 우리의 뇌는 매일 혹사를 당하고 있는 셈이다.

반면에 기술이 고도로 발달해 감에 따라 우리의 여가 시간의 크기는 비대해져 간다. 직업과 계층에 따라 차이는 나지만 여가의 상대시간이 늘어가는 것은 사실이다. 그 속에서 누워 유튜브를 들여다보는 이른바 '수동적 여가'는 지극히 자연스럽다. 혹사당한 뇌를 여유롭게 만드는 일이라고 생각하니까. 그러나 뇌는 그 순간까지도 사실 혹사 당하고 있다.

내가 피아노를 배우고 마라톤을 하면서 배운 것이 있다. 뇌는 고통의 끝에서 오는 환희를 즐긴다는 점이다. 오로지 이런 방식의 도파민만이 뇌의 회로를 정상적으로 만들어준다. 뇌 회로를 고치는 동력은 바로 몰입이다. 오로지 몰입한 순간만이 인생을 가장 행복하게 보낼 수 있는 시간이라고 나는 더욱 굳세게 믿게 되었다. 밤새 게임을 하고 새벽녘이 밝아올 때까지 만화책을 읽고 나서 마음 깊은 곳에서 올라오는 환희심을 느끼는 일은 없다.' 그저 하루를 이렇게 보내버렸구나'하는 절망이나 한심함이 올라올 뿐이다. 그러나 고통을 수반하는 과정, 궤도에 오르면 고통을 잊고 몰입하는 '러너스 하이(Runner's High)'에 이르면 일상에서 맛보기 힘든 열락과 감격을 느낀다. 몰입하는 삶은 진정한 여가와 맞닿아 있다.

인생에서 중요한 건 어느 때나 네가 느낀 진심, 네 마음을 움직이는 생각이란다. 그런 감정에서 비로소 의미를 생각할 수 있는 거란다. 네가 무언가를 절실히 느꼈거나 마음속으로 생각한 것이 있다면 그런 느낌이나 생각을 절대로 속여서는 안 돼. 어떤 일에서 또는 어떤 문제에서 네가 어떤 생각을 하게 되었는지 늘 기억해 두렴. 언제, 어느 곳에서 어떤 감동을 받았다는, 인생에서 되풀이되지 않는 오직 단 한 번뿐인 경험에서 의미를 찾을 수 있을 거야. (...) 코페르! 이건 정말 중요한 일이란다. 여기에 거짓이 있어서는 안 돼. 조금이라도 거짓이 섞여 있다면 네가 아무리 위대한 것을 생각했다고 해도 모두 거짓이 되어 버린단다. (...) 중요한 건 세상의 눈이 아니라 네 눈이야. 네 눈이 무엇에서 사람의 훌륭함을 찾고 있는지, 그것을 네 영혼이 알고 있어야 한단다. (...) 코페르, 다시 한번 말하는데 네 마음이 감동 받을 때와 네 마음이 움직이는 순간을 소중히 간직하렴.

요시노 겐자부로, 『그대들, 어떻게 살 것인가』
(양철북, 1937)

얼마 전 TV프로 『유 퀴즈 온 더 블럭』에서 하이브의 방시혁이 나와서 하는 말을 우연히 들었다. 자신은 불가지론자[1]이며, 사람들은 같은 책상을 봐도 그것이 실제로는 같은 형태를 보는지 알 수 없다고 했다. 이는 정확히 말해 '나'는 이런 형태(□)로 보지만 '상대'는 어떤 형태(?)로 볼지 알 수 없고 그저 내가 보는 형태로 인식하고 있을 거란 추정만 할 수 있다는 뜻이다. 나는 아주 어렸을 때부터 이런 불가지론자였다. 이는 내가 비판적 성찰을 통해 나를 메타 인지, 즉 객관적으로 인지하고 세계를 파악할 수 있었던 시작점이었다.

어린 내가 가졌던 나와 세계에 대한 의문은 스스로 생각해도 너무나 복잡하고 여러 단계를 거쳐 겹겹으로 구성된 생각의 단층이었다. 그것이 정말 심오했건 또는 깊은 통찰을 가졌건 문제가 되지 않는다. 정말 중요한 문제는 이런 다층적인 생각을 타인이 알 수 있는 길이 없다는 데 있었다. 나의 진짜 고민은 바로 이것이었다. '사람이 결국 다른 사람의 생각을 알 수 있는 길은 없구나.', '사람은 결국 타인의 세계에 들어갈 수 없고 그 생각과 감정을 확률적으로 추측할 수밖에 없는 한계가 있다'는 지극히 당연하면서도 놀라운 사실을 발견하면서 나는 존재자의 신비를 처음 알게 되었다.

이 고민을 하던 날이 생생하게 컬러의 기억으로 머릿속에 남아있다. 초등학교 4학년 때, 방과 후 운동장에 있는 정글짐 꼭대기에 반쯤 누워 기대 하늘을 보고 있었다. 가을바람이 춥지도 덥지도 않게 불고 하늘은 쾌청한 푸른색으로 떠 있었다. '내가 가진 생각을 과연 남들이 알아줄 수 있을까, 어떻게 내 생각을 잘 전달할까'라며 소논문반의 독후감을 구상하던 소년이었다. 주변을 보니 사람들은 다들 바쁘게 걸어 다니고 있었다. 세계를 바라보다가 문득 내가 그들과 유리되어 있다는 사실을 나중에야 알았다. 나의 철학적 사색은 그날 시작되었다.

---

1) 사람의 경험으로 사물의 본질을 인식할 수 없다.

한때는 사회가 나를 제 맘대로 소유할 뻔했던 적도 있었다. 스스로 생각하지 않으면 사회가 그 일을 하고 만다. 스스로 생각하지 않으면 내 생각의 자리를 다른 사람이 차지하고 만다. 결국은 대다수의 시선에 의존적인 사람이 되고 마는 것을 피하기 어렵다. (...) 사회가 힘이 셀수록 그저 흘러가는 대로, 되는 대로 가만히가 아니라 '의도적'으로 살 필요가 있다. 메모를 하는 사람은 스스로 생각하는 시간을 자신에게 선물하는 셈이고 결과적으로 메모는 '자신감' 혹은 '자기존중'과도 관련이 있다. 스스로 멈추기 때문이다. 스스로 뭔가를 붙잡아서 곁에 두기 때문이다.

정혜윤, 『아무튼, 메모』(위고,2020)

소위 'MZ 세대'들은 종이와 연필로 대표되는 필기 문화에 익숙치 않은 걸까? 아니면 스마트폰이 그들에겐 새로운 디지털 문방사우가 되어주는 걸까? 90년생인 내게 필기구는 그 자체로 아이폰이자 갤럭시였다. 아버지 세대도 농촌에서 손에 잡히는 족족 놀잇감이 되었듯 내게도 내 시대와 내 수준에 맞게 손에 쥐어지는 것이 놀잇감이었다. 그리고 그것은 대부분 쓰고 읽는 행위에 포함되었다. 그래서 유독 지금의 3040 세대는 다이어리와 플래너, 만년필 등의 아이템에 지극한 사랑을 보내는 듯 보인다. 나 역시 그렇다. 내게는 늘 가슴 품에 들어 있는 손바닥만한 수첩과 미쯔비시 0.5수성볼펜이 들어있다. 일기는 타이핑을 치지만 모두 출력하여 바인더에 꽂아 책으로 보관한다. 무릇 생각의 특성이 그렇듯 불현듯 떠오르는 생각은 바로 휘발하기 때문에 수첩을 꺼낼 시간조차 부족하면 스마트폰을 꺼내 네이버 메모 앱에 적어둔다. 내게도 중독 증세가 있다면 아마도 '활자 중독'과 '필기중독'에 걸린 사람일 테다.

메모는 언제부터인가 내게 잊혀져 가는 정보를 잡아두는 기능보다 더 감성적인 영역으로 기능하기 시작했다. 내가 존재했다는 사실을 증명하는 확인서. 어떤 생각을 적어놓을 때는 웬만하면 날짜를 적어둔다. 이는 내가 특정한 생각을 이 시기에 함으로써 실존했음을 증거한다. 가끔 나는 생각한다. 과거의 나는 사실 없는 게 아닐까. 실제로 이는 과학적으로도 무게감 있는 질문이다. 엔트로피는 늘 증가하는데 우리가 과거를 알 수 있다는 것은 순전히 기억이 있기 때문이다. 그 기억이 사라진다면 크리스토퍼 놀란의 영화 『메멘토』처럼 메모가 없이는 나를 알 수 없다. 내가 이런 생각을 하는 존재로서 이 세계에, 이 시간에 존재했음을 알리는 증거물이 메모고 일기다. 이렇게 애처로운 결로 메모를 하는 것만은 아닌데. 메모와 일기, 이렇게 집필하는 글에서까지 무언가 비장한 냄새가 나는 건 아마 내 글의 결이 이런 거겠지. 그럼 마땅히 처연함도 느끼는 수밖에.

"경영 이념이란 '나는 이렇게 경영을 하고 싶다', '회사 경영은 이래야 한다'고 생각하고 행동하는 바탕이 되는 것입니다. 경쟁이 격심하다고 해서 '도저히 지킬 수 없다'고 굽혀야 한다면 그것은 이념이 아닙니다" (...)

"이 정도는 괜찮겠지, 한 번 정도는 눈감아주겠지... 그런 식으로 한번 이념을 깨트리면 그다음도, 또 그다음도 같은 일이 반복됩니다. 이념이란 우직하게 지켜나가지 않으면 안 되는 거죠."

송희영, 『이나모리 가즈오』 (21세기북스, 2020)

축구선수 박지성이 맨체스터 유나이티드에 가기 전, PSV 에인트호번에 있기도 전, 일본에 교토퍼플상가란 구단이 있었다. 2000년에 박지성을 처음으로 영입한 해외구단이었다. 한국의 어린 축구유망주를 영입해 바로 투입할 만큼 성적이 좋지 않았던 구단이다. 박지성은 이 꼴찌구단을 그 해 2부리그에서 1부리그에 올려놓았고 계약이 끝난 날의 다음날에 있었던 일왕배 결승전에서 골을 넣어 교토퍼플상가를 우승시켰다. 이 구단의 구단주는 박지성에게 "어딜 가든 응원하겠지만, 언젠가 반드시 교토로 돌아와 달라. 절음발이가 되어 돌아와도 받아주겠다."고 했다. 교세라(교토세라믹)의 회장 이나모리 가즈오가 그 구단주였다.

이게 이나모리 회장을 처음 접한 일화였다. 교세라의 이나모리 가즈오 회장. 그는 장인정신의 나라 일본에서 혼다의 혼다 소이치로, 파나소닉의 마쓰시타 고노스케와 더불어 일본 3대 경영의 신, 경제인으로 일컬어진다. 3대의 무엇무엇을 만들기 좋아하는 일본답다.

나는 한 사람을 영웅화하는 행위에 극렬히 반대하지도 찬성하지도 않는다. 차라리 한 인물의 전기傳記를 좋아하는 편이다. 한 인간의 희로애락, 영광과 오욕의 기록이란 얼마나 인간적인가. 무릇 모든 인간은 위대함과 더러움을 필연적으로 갖기 마련이다. 나는 위대한 사람의 인생에 관심이 많다. 소년은 누구나 큰 인물이 되고자 하는 야망이 있는 걸까? 미시사를 살아간 이름도 남지 않은 불꽃 같은 영혼들이 많겠지만 결국 역사에 남는 것은 소수의 이름이다. 나 역시 한 명의 이름 없는 인간으로 역사의 너머로 흘러가겠지만 살아가는 시간만큼은 이나모리 회장처럼 위대하게 불꽃같이 살고 싶다.

나는 같은 장사꾼으로서 그의 상인 감각을 존경한다. 검소하고 또 검소한 자세, 장사치지만 신념으로 살아내는 자세, 타인을 사랑하고 겸허한 경천애인敬天愛人의 자세. 손해가 있어도 자신의 신념이 살아남는 그 자존감이란. 상인의 태도를 깊이 생각하게 해 준다.

시민과 독자가 어느새 '소비자'와 '사용자'로 강제 개명된 시대는 내 삶에 도움이 되는 정보가 아니라, 그야말로 이목 끌기, 관심 끌기, 클릭 장사가 현명한 상술이 되어 노골적으로 판치는 시대다.(...) 정보를 취하는 것, 정답을 찾는 것이 문해력이라면 인간의 문해력은 이미 기계의 문해력에 비할 수 없이 약해졌다.(...) 하지만 문해력이 글 정보와 나의 세상 지식을 통합하여 이전에 없던 새로운 의미를 구성하는 경험이자, 이러한 일련의 지적, 정서적 과정들을 의식적으로 점검하고 수정하는 성찰의 태도라면 어떨까? 그렇다면 기계가 인간을 압도할 일은 일어나지 않을 것이다. (...)텍스트로 정교하게 사고하고 배울 수 있는 능력, 텍스트의 가치를 삶의 맥락에서 판단하고 결정할 수 있는 역량, 자신의 읽고 쓰는 과정 자체를 통찰하고 수정할 수 있는 의식적 태도는 변화무쌍한 시대에 우리 어른들이 고민해야할 문해력의 정수일 것이다.

EBS 당신의 문해력, 『읽었다는 착각』
(EBSbooks,2023)

나의 독서 편력, 그러니까 긍정적으로 표현하자면 나의 독서에 대한 본격적인 애정 공세는 초등학교 1학년부터 시작됐다. 머릿속에 기억나는 초등학교 시절 장면들을 열거해보자. 장면1. 친구 생일파티로 친구 집에 가면 그 집의 장난감이나 혹은 친구들과 노는 데 온 정신이 팔린 모두와 달리 마치 산업스파이처럼 친구 방의 책장 앞에 서 그가 가진 서가 목록을 조용히 스캔하고 있었다. 구하기 힘든 책을 발견하면 그 자리에 앉아 독서 시작. 어느새 생일파티는 끝났다. 장면2. 여름방학이 되면 나는 일과처럼 동네 복지관의 작은 도서관에 들어간다. 5단짜리 긴 책장의 사이에 껴서 그 그늘진 복도의 끝에 앉아 어둠 속에서 책을 읽는다. 음험하기 그지 없다.

　왜 이런 장면을 회상하냐고 묻는다면 내가 이만큼 책에 진심이었고 책을 사랑하는 어린이였다는 점을 보여 주고 싶다. 그리고 지금까지 이렇게 글을 읽는데 그치지 않고 글을 쓰고 책을 내려고 안달이 나 있으니 할 말을 다 했다고 볼 수 있다. 그러나 2023년의 스마트폰 중독자, 그러니까 다시 긍정적으로 표현하자면 불쌍하도록 바쁜 현대인들과 이렇게 책을 물고 빠는 나에게도 문해력 저하는 노안처럼 찾아오고야 만다는 점이 문제다.

　나는 아주 오랜 시간 동안 내 문해력에 노란 등이 켜지는 원인에 대해 고민했다. 결론은 바로 도파민이다. 어렸을 땐 놀 수 있는 거리가 책 뿐이었다. 정확히는 조용하면서도 싫증이 나면 곧바로 다른 장르로 갈아탈 수 있는 효율적이고도 고도의 효능감을 주는 도구는 책 뿐이었다. 그러나 지금은 스마트폰으로, 유튜브로, 인스타그램으로 도망갈 수 있는 퇴로가 사방으로 열려있다. 읽히든 안 읽히든, 이해가 되든 이해가 안되든 읽어야 했고 읽고 말았던(!) 그 시절의 대가를 치르지 않으니 자연스레 문해력, 독해 근육은 흐물해져만 갔던 것이다. 아! 이럴 때 통재로구나 라는 말을 써야 하는 걸까. 이제 다시금 50번째 결심으로 인스타그램을 삭제하고 책을 편다. 파이팅.

남들만큼은 해야 한다는 필수 요건을 뒤집어 말하자면, 한국인에게 가장 치명적인 동시에 받아들이기 어려운 상황은 중간보다 못하는 것 또는 평균에 미달하는 것이다. 즉 대부분의 사람에게 뒤처지는 것이다. 우리가 살아가는 데 가장 결정적인 영향을 행사하는 기준은 '남들보다 뒤처지지는 않았는가'이며, 중산층은 그 대표적인 상징이다. (...) 이런 사회에서 상대적 박탈감을 해소하고 남들을 따라잡기 위해 사람들은 어떤 선택을 하게 될까? 어떻게든 내가 뒤처지지 않았다는, 작은 거 하나라도 나은 점이 있다는 사실을 필사적으로 확인하려 하지 않겠는가? 자기 자신의 존재감을 확인하려면 사회적 욕구를 충족해야 하는데, 그 욕구를 채울 수 있는 그나마 가장 손쉽고 확실한 방법은 물질적이고 외형적인 가치의 획득뿐이다. 이렇게 눈에 보이고 숫자로 바꿀 수 있는 가치로 인정욕구를 채우는 것이 삶의 핵심 목표가 되면 숨 쉬는 내내 남들과 비교하게 될 수밖에 없다.

임의진, 『숫자 사회』 (웨일북, 2023)

서른의 중반을 달려가는 지금 주변을 둘러보고 나니 나의 생활은 동갑내기 세대들과는 꽤나 다르게 흘러가고 있는 듯 하다. 나는 그 유명하다는 성수동의 카페거리나 힙지로라 불리는 을지로 거리, 여의도의 더현대와 수많은 팝업스토어에 한 번도 가본 일이 없다. 아니 오히려 10여 년 전의 홍대거리에서도 놀아본 일이 없다. 히키코모리라고 자랑하는 게 아니다. 중요한 건 여전히 그런 유행을 따라할 의욕이 나지 않는다는 점이다. 어떤 유행이 돌 때 나는 역시나 생각에 잠긴다. 모두들 이 유행이 좋아서 따라하는 걸까 아니면 유행이기 때문에 따라하는 걸까. 다들 무엇인가 홀린 듯이, 혹은 옛날 코민테른에서 지령이 내려오듯 어떤 가이드 라인을 수행하는 것 같아 보이기 때문이다. 어쩌면 나는 이들의 리그에서 벗어나 있는 사람이라 자유로운지도 모른다. 나는 자체적인 생산수단을 가지고 있는 쁘띠 유산계급이라 자신의 노동력을 시장에 팔아야 하는 직장인들과 사뭇 다른 입장—물론 외형만 사용자이지 실제 내용은 완전한 근로자다—에 서 있다. 또 패션이나 사치품, 소확행 등에도 관심이 없기 때문에 그들의 트렌드 전쟁에서 뒤처지거나 앞서는 일도 없다. 그들은 모두 같은 러닝트랙 위에서 뛰고 있기 때문에 뒤처지고 앞서가는 경쟁을 수행하고 있다. 왜 그런 경쟁을 해야 하는 걸까? 어쩌면 자기 자신을 잊지 말아달라는 호소가 아닐까. 우리 사회는 표준편차곡선으로 따지면 2등급(11%)정도만을 '인정'한다. 3등급(23%)는 존재는 평범한 인간으로, 4등급 이하는 평균 이하로 취급하는 비가시적인 카스트제도가 있다. 100명 중 스무 명 가량만이 사람이고 나머지는 투명인간이다. 그래서 어떻게든 평균을, 아니 평균 이상을 살기 위해 발버둥을 친다. 무리에서 벗어나기 싫으면서도 무리에선 나 자신의 개성을 잃기 싫어하는 우리의 자아란 때론 애처롭다. 스스로를 당당히 지켜준다면 타인의 시선으로 무너지는 일의 태반을 막을 수 있을 텐데. 우리는 필요 이상의 시선을 받으며 살고 있다.

이 기업들은 사람들이 핸드폰을 더 오래 들여다볼수록 더 많은 돈을 벌었다. 그게 전부였다. 실리콘밸리에서 일하는 이들은 사람들의 집중 시간을 끝장내려고 전자기기나 웹사이트를 설계한 것이 아니었다. (...) 그러나 이들의 사업 모델은 사회 전체의 집중 시간을 장악해야만 성공을 거둘 수 있었다. 엑손모빌이 고의로 북국의 빙하를 녹이려 하는 것이 아니듯, 집중력 파괴도 이들의 목표가 아니다. 그러나 집중력 파괴는 현 사업 모델의 불가피한 결과다. (...) "핸드폰이 생기면서 사람들은 늘 중요한 것보다는 쉬운 것을 제안하는 물건을 언제나 주머니에 넣고 다니게 된 거예요"

요한 하리, 『도둑맞은 집중력』(어크로스, 2023)

인터넷에 돌아다니는 그림을 한 장 본 적이 있다. 로봇이 벤치에 앉아 책을 러닝(learning)하고 있고 사람들은 모두 길을 걸으며 고개를 숙인 채 스마트폰을 쳐다보고 있는 장면이었다. AI는 계속 책을 딥러닝하며 스스로 주체성을 가질 수 있을 정도로 고도로 발달해 가는 동안 사람들은 그저 스마트폰에서 입력시켜주는 정보에 주입 당하고 있는 현실을 풍자한 그림으로 이해했다. 사실 디스토피아는 미래의 SF적 상상력으로만 존재하는 게 아니라 오늘이라는 토양에서 이미 발아한 엄연한 현실이다.

지하철 의자 한 줄에 7명이 앉는 자리에서 고개를 숙여 스마트폰을 보고 있지 않은 사람은 한 명도 없다. 대중교통은 하릴없이 앉아 시간을 보내야 하니 그럴 수 있다 쳐도 정작 우리가 집중력을 발휘해 무언가를 해야 하는 시간에도 스마트폰이라는 족쇄가 모두를 억누르고 있다. 컴퓨터 앞에 앉아서 전원을 켜고 해당 사이트에만 들어가 내가 하려는 일만 처리했던 이전의 시대와는 사뭇 다르다. 그때도 트위터나 페이스북처럼 스크롤을 내리며 계속해서 슬롯머신같이 도파민을 자극하는 무언가는 있었지만 그래도 태반은 텍스트 기반이었다. 지금처럼 유튜브와 인스타그램을 기반으로 한 쇼츠와 릴스로 집중력을 붕괴시키는 강도와는 차원이 다르다.

이는 생각해보면 실로 가공할 위기다. 문제는 '나의 집중력을 위협하는 수단이 무엇인지 알았으니 됐어'가 아니다. 끊임없이 영원한 전투를 펼쳐야 하는 게 문제다. 우리는 어느샌가 무해할 것만 같았던 스마트폰에 '의존'했고 기어코 '중독'되었다. 의존과 중독이라니. 어디서 많이 쓰이는 단어 아닌가? 바로 알코올, 술이다. 일과를 마치고 혹은 비는 시간에 여유를 누리고 소소한 즐거움을 찾고자 열었던 스마트폰은 도파민 판도 전체를 지배하게 되었다. 저자조차도 결론에서 답을 못 찾았다고 할 정도니. 나도 여전히 망각과 각성을 반복하며 노예와 자유인 사이를 왕래하고 있다.

책으로 노는 방법은 읽기 외에도 많다. 그 중 끝판왕은 역시 직접 책을 쓰기가 아닐까 싶다. (...) 겸손한 성격도 아니지만 그렇다고 바보도 아니기 때문에 내 글이 대단하다고 생각하지는 않는다. 이래 봬도 세계 최고 글쟁이들의 글을 어릴 때부터 읽어온 책벌레다. (...) 그런 주자에 책을 계속 낼 수 있었고, 과분한 관심을 받기도 했던 이유의 70퍼센트 이상은 판사라는 직업이 주는 의외성이었다고 생각한다. 노량진 만홧가게에서 하루하루를 보내던 고시생 시절의 내가 『개인주의자 선언』을 써서 출판사에 가져갔다면 뭐라고 했을까. 네네, 선언 많이 하시고요, 응원합니다. 파이팅!

문유석, 『쾌락독서』 (문학동네, 2018)

책을 읽을 때 밑줄을 치며 읽는다. 핵심 단어에 동그라미를 치고 저자가 말하고자 하는 바를 유기적으로 이해하기 위해 문장에서 문단을 곡선으로 이어준다. 도저히 동의가 안되는 글에는 옆에 신랄하게 반박하는 글과 욕을 시원하게 갈겨준다. 내 상대가 안 된다고 생각한 책은 읽기를 중간에 마치고 책장에 꽂아둔다. 웬만해선 폐기하진 않는다. 내가 생각과 사상에서 이겼다고 생각해 적장의 수급을 베어 소금에 절여 보관해둔 끔찍한 전리품이랄까... 정말 말도 안 되는 책은 애당초 사지도 않았다.

그렇게 할 말도 많고 평가할 일도 많으면 독서 모임에 나가도 좋지 않을까 싶지만 의외로 독서 모임을 즐기지 않는다. 나는 생각보다 다양한 의견을 좋아하지 않는다(!). 책을 좋아하는 사람이 할 발언은 아니라고 생각하겠지만, 하도 이상한 생각과 말도 안 되는 생각, 말 같지도 않은 생각을 하나의 의견이랍시고 존중해달라며 다양성과 상대주의라는 현수막을 걸고 자신을 하나의 존재자로 인정하라는 압박이 매우 숨 막히기 때문이다. 그리고 독서는 본질적으로 철저한 고독과 개인의 시간이다. 나만의 생각이 배양되는 사상적 인큐베이터의 고요함이다.

그런 고요를 깨지 않으면서도 어떻게든 세상에 저자와 소통하는 세계가 있다는 사실을 포효해야 하는 딜레마를 해결하는 유일한 방법이 바로 글쓰기고 책을 출간하는 일이다. 남들이 모르는 대단한 지식을 알려주는 것도 아니고 위대한 인물의 소감을 적는 것도 아닌, 오히려 일개 시민의 일개 소감을 적은 글이니 세상에 알려지는 게 황당한 일이다. 그럼 일기나 쓰지 뭐하러 책을 내니? 하는 질문엔 역시 이렇게 대답할 수밖에 없다. 읽는 사람은 필연적으로 쓸 수밖에 없다. 교보문고의 슬로건으로 대신 답한다. "책은 사람을 만들고, 사람은 책을 만든다." 설마 내가 사실은 책에 영혼을 저당 잡혀 조종당하고 있는 것은 아니겠지? 책에 만취한 사람은 자신을 잊을 때가 많거든.

책을 버리는 방법을 이야기해 볼까요.(...) 그때는 그야말로 읍참마속의 심정입니다. 이제는 우리 집에 있는 1만 7천 권의 책이 다 양서 같아요. 수 십 년간 책을 계속 솎아내고 남겼거든요. 솎아내는 원칙은 매번 1만 7천 권을 다 두고 고민하지는 않지만... 만약 내게 공간이, 다치바나 다카시의 고양이 빌딩 같은 공간이 있다면 책을 버리지 않고 다 모아두었을 거예요. 그런데 집이 협소하니까 버리거나 기증하거나 팔거나 해야 하는 거 거든요. 그러면 매번 막 손이 떨리고 책들에게 너무 미안해져요. 예를 들어서 그렇게 힘들게 책을 스물일곱 권쯤 찾아서 버리게 되면, 그 스물일곱 권은 어떤 책들이겠어요. 쉽게 이야기하면 내게 소중한 순서 17001번부터 17027번까지를 버리는 거죠. 그러니까 버릴 때마다 마음은 굉장히 아프고, 하지만 그렇게 수도 없이 반복을 해온 거죠

이동진, 『이동진 독서법』 (위즈덤하우스, 2017)

책을 모으고 읽는 사람들 사이의 레전드로 통하는 이동진 평론가에 어디 비할 데가 있겠냐만은 나 역시 나름 소규모 장서가로 부를 만하다. 내게 있는 장서의 수는 대략 2천권 남짓이다. 한 달에 수집하는 책은 평균 15권에서 20권 정도 된다. 일년이면 200권 가량의 책이 자동으로 생기는 셈이다. 생각 없이 모은 책이 5년이면 1천 권이다. 이때부터는 생각 없이 책을 모으기 쉽지 않아진다. 이미 방은 책으로 삼면이 가득하다. 회사에까지 책장을 놓아 꽂아두었으니 망정이지 그렇지 않았다면 이미 내 방은 책과 내가 주객전도된 책 창고가 되었을 테다. 모든 마니아가 그렇듯 나 역시 책을 솎아내는 노하우가 있다.

일단은 시간이 지남에 따라 내 생각과 신념, 노선이 수정되었을 경우 그 사상에 반하는 기존의 책들을 처분한다. 그러나 패러다임의 전환이 그렇듯 기존의 사상을 송두리째 뽑는 게 아니라 포용하면서 진화하기 때문에 책 중에서도 기존 신념의 토양이 된 책들은 남겨둔다. 둘째는 생각이 발전하면서 수준이 미달하는 책들을 걸러낸다. 어떤 영역, 예를 들면 양자역학에 대해서 공부한다고 했을 때 이해도가 일천하면 어린이용 책부터 대중교양서와 전문가용 책을 가리지 않고 두루두루 여러 각도에서 읽는다. 그러다 어느 정도 많은 지식이 배경지식으로 자리잡고 궤도에 안착하게 되면 시시콜콜한 설명과 진부한 예들이 가득한 책은 걸러낸다. 그러나 쉬운 예로 가득해도 그것이 결정적인 이해를 돕는 책은 살려둔다. 모름지기 잘 알지 못할수록 설명이 장황하기 마련이다.

말하고 나니 어느새 내 책장에 걸러내야 할 책들이 또 생겼다. 반대로 말하자면 내게도 발전한 구석이 생겼다는 뜻이다. 시작할 때는 몰랐지만 몰라도 펼쳐보고 차례라도 읽어보고 서문과 챕터1만 수차례 읽었어도 무언가가 는다. 어떤 일이든 시간이라는 재료를 넣지 않으면 아무것도 완성되지 않는다는 걸 깨닫는다. 내 손으로 샀지만 내 손으로 떠나보내는 책들에게도 충분한 애정이 깃들어 있다.

너의 이름을 단 한 번도 들은 적이 없는 사람들이 헤아릴 수 없이 많다는 것, 네 이름을 들어 보았거나 안 사람들 중에서도 대부분이 머지않아 너의 이름을 잊어버리게 되리라는 것, 지금 너의 이름을 칭송하다가도 얼마 후에는 너를 비난하게 될 사람들이 많다는 것을 생각하라. 사람들이 너를 기억해 주는 것이나 그들 가운데서의 너의 명성이나 그 밖의 다른 모든 것들도 네가 고려할 가치조차 없는 것들이라는 것을 생각하라.

마르쿠스 아우렐리우스, 『명상록』 (현대지성, 2018)

현대인이 고대의 철학자보다 더 아는 것이 많고 똑똑할 거란 생각은 틀렸다. 흐른 시간만큼 발전된 기술과 사상을 보유한 것은 일면 맞지만 그들의 고민이나 우리네의 고민이나 본질은 같다. 심지어 800만년 전 침팬지로부터 분화된 호모 사피엔스의 유전적 특성을 그대로 가지고 있으니 그리스 로마 시대의 사람들과 우리가 육체로나 생각으로나 차이가 있기엔 너무나 짧은 시간이다.

한 밤에 침대에 누워 천장을 보며 생각하다 도달한 수많은 철학적 결론들과 끝나지 않는 길을 걸으며 사색에 빠져있다가 유레카!를 외치고 싶었던 순간들. 그렇게 내 손에 쥐어진 귀한 옥석 같은 결론들은 알고 보면 고대인들의 손에 미리 주어진 것과 같았다. 그 사실을 알았을 때 허망함보다 겸허함이라는 옥석을 하나 더 갖게 되었고 생각의 동지들이 있음을 알게 됨으로 시공을 초월한 동지애를 품게 되었다. 결국 사라지고 말 먼지 같은 나와 이 세계에서 의미란 무엇일까. 질문을 건너 뛰어 내가 의미를 만들어내는 주체라면 나는 어떤 의미를 만들어내고 사라져야 하는가. 가끔 나는 마르쿠스 아우렐리우스의 환생이 아닐까 하는 망상도 하곤 한다.

이 시대는 유례를 찾기 힘들 정도로 방종하고 오만하며 쾌락과 사치에 물들어 있다. 그런 사회, 정확히는 구성원 안에서 스토아 철학을 외치는 자가 받을 핍박은 말하지 않아도 명백하다. 자랑과 오만보다 겸허와 겸손을, 사치와 환락보다 검소와 청백을 외치는 사람. '언제 죽을지 모르니 오늘을 즐기자'라고 말하는 사람과 '언제 죽을지 모르니 오늘을 겸손하게 살자'라고 말하는 사람은 같은 세계를 살지 않는다. 우리에게 주어진 물질세계는 같아 보여도 각자가 지각하는 세계는 모두 다를지 모른다. 나는 마음이 이끄는 세계가 있다고 느끼며 산다. 즉 방종이 주는 윤락에 젖는 것에 거부감이 든다. 영혼에서부터 올라오는 부담감과 이질감이다. 그래서 나는 사람의 영혼에는 독특한 무언가가 있다고 믿는다. 나 역시 스토아학파 인간인가보다.

오늘날 모든 이들은 아무리 보잘 것 없어도 자신에게 모든 기회가 주어져 있음을 안다. 기회가 없었던 과거와 달리 자신이 낮은 지위에 매여 있지도 않은데, 그럼에도 자신은 실제로 낮은 지위라는 걸 생각하면 어떨까? 인류 역사상 처음으로, 하층민이 스스로에 대한 자긍심을 가질 근거가 사라져 버린 것이다. (...) 만약 능력주의가 공정하다 해도 과연 그것이 좋은 사회일지 의문을 제기하는데, 능력주의는 승자에게 오만과 불안을 자아낼 것이며, 패자에게는 분노를 자아낼 것이기 때문이다. 어느 태도든 정신적 번영에는 해로우며 공동선 개념에는 치명적일 것이다.

마이클 센델, 『공정하다는 착각』 (와이즈베리, 2020)

한국 사회에 드리워져 있는 분위기는 이전과 비교해 상대적으로 이른바 '살벌'하다. '각자도생'이라는 말은 2024년 세월호참사 이후로 모두가 외치는 슬로건이 되었다. 이것은 국민이 정부와의 관계에서 더 이상 공적 영역을 신뢰하지 못한다는 것이고 나는 국민과 국민, 대인적 관계에서는 '무관용'이 슬로건이 되었다고 생각한다. '똘레랑스'(관용)라는 것은 상대의 잘못과 부족함에도 용서를 베풀고 수용해주어 다시금 재기할 수 있는 기회를 주는 것을 의미한다. 그러나 우리 사회에서 재기한다는 말은 그저 남성혐오의 단어로 사용될 뿐이다.

무관용의 근본은 양극화다. 부의 불평등한 분배상태가 양극화의 핵심이다. 사람은 돈이 있어야 마음에도 여유가 생긴다. 이런 양극화의 토양은 돈과 탐욕이지만 유지하는 힘도 여러 가지가 존재한다. 그 중 하나는 특히나 우리 사회에 만연한 '능력주의'다. 우리는 태어나면서부터 걷고, 한글을 익히고, 피아노를 치고, 영어를 하는 능력에서부터 능력적 차별을 습득한다. 초중고의 공교육 기관 아니 시장에서 그 차별을 극대화하여 습득한다. 차별을 받는 동시에 하는 방법도 배운다. 가정은 1차 사회화 과정을 밟는 영역이고 학교는 재사회화 하는 과정을 밟는 영역이다. 그러나 우리가 차별로부터 배제되는 공간은 존재하지 않는다. 모든 구성원이 차별의 구성요소가 되었다. 최순실의 딸 정유라에 따르면 '부모도 능력'이라고 한다. 즉 자신의 배경도 능력이라는 말이다. 그녀의 의도와는 다르지만 일면 맞는 말이다. 부모의 배경으로 인해 가난한 사람들은 배우지 못할 피아노, 바이올린, 미술, 수영, 발레 등을 배워 능력을 갖출 수 있으니까. 그러니 역설적으로 그런 능력을 자신의 '능력'으로 착각하면 안 된다. 타인에 대해 자랑할 능력이란 사실 없다. 모두가 랜덤하게 태어나는 셈이니까. 정말 능력이라고 부를 만한 것은 이런 사실을 극복하고 타인에게 관용을 베풀 수 있는 인간 본연의 '능력'일 것이다.

엔트로피 법칙은 우주의 묵시록이다. 모든 것은 결국 사라진다. 나는 러셀의 말에 공감한다. 신을 믿어야 할 이유는 없다. 엔트로피 법칙은 영원성에 대한 집착을 버리라고 말한다. 이 우주에는 그 무엇도, 우주 자체도 영원하지 않다. 오래간다고 의미가 있는 것도 아니다. 존재의 의미는 지금, 여기에서, 각자가 만들어야 한다. 우주에도 자연에도 생명에도 주어진 의미는 없다. 삶은 내가 부여하는 만큼 의미를 가진다. 길든 짧든 사람한테는 저마다 남은 시간이 있다. 나는 그리 길지 않을 시간을 조금 덜어 이 책을 썼다. 쓰는 동안 즐거웠다. 남들과 나누면 더 좋을 것 같다. 그게 전부다.

유시민, 『문과 남자의 과학 공부』 (돌베개, 2023)

유시민의 과학에 대한 흥미가 놀랍지 않다. 사람들은 책의 출간과 함께 북콘서트에서 어떻게 과학에 새로 눈을 떴냐고 질문하기도 한다. 유시민은 2009년에 찰스 다윈 탄생 200주년을 기념해 '지식인이라면 과학 교양에 대해서도 좀 알아야지!'하는 마음을 가지고 서점에서 『종의 기원』을 구입해 읽었다고 한다. 아마 그 이전까지는 사회사상과 운동권 공부에 매진하느라 과학에 대해선 흥미를 못 느꼈던 것 같다.

내 생각엔 그 날 이후로 유시민은 과학에 대해서 꽤 좋은 인상을 품기 시작했던 것 같다. 그가 출연하는 유튜브 채널 '노무현재단' 채널 속 코너로 '알릴레오 북스'란 프로그램이 있다. 과학자 김상욱과 더불어 토론한 많은 과학책이 『문과 남자의 과학 공부』에 나온다. 어떻게 아는가 하면 나 역시 그 채널에서 제시하는 책을 매주 읽어오고 방송을 보며 생각을 나누었기 때문이다. 예를 들면 브라이언 그린의 『엔드 오브 타임』, 짐 홀트의 『아인슈타인과 괴델이 함께 걸을 때』 등이 대표적이다. 유시민과 나의 생각의 깊이는 크게 차이가 나겠지만 그와 나의 과학에 대한 애정, 깊어지는 속도는 알릴레오북스 안에서 비슷했을 거라 생각한다. 유시민은 40대가 되어서야 비로소 과학을 진중하게 들여다보고 공부를 하고 많은 혜안을 얻었다고 한다. 자신이 젊었을 때 과학을 알았더라면 굳이 그렇게 괴로워하지 않았어도 될 일이 많았다고 회고했다. 사회현상은 인간이 의미를 부여하기 때문에 인간을 괴롭게 한다. 그 의미 하나 때문에 세계대전으로 수백만 명이 죽기도 한다. 어떤 죽음은 숭고하고 어떤 죽음은 개죽음으로 치부된다. 그러나 과학엔 그런 일이 없다. 과학엔 사실이 있지 의미가 없기 때문이다. 이 우주에 이름과 의미를 부여한 것도 호모 사피엔스지만 그 의미 때문에 번뇌하는 것도 호모 사피엔스다. 그러나 과학을 알고 나면 의미의 혼돈에서 한 줄기 빛을 볼 수 있다. 그게 과학의 힘이라고 할 수 있겠다.

태초에 단지 불꽃이 있었노라. 불꽃은 발사 스위치에서 튀어나와 32개 기폭 장치의 단자를 가로지른다. 불꽃은 렌즈 형태로 장착된 폭발물에 불을 댕기고 그 폭발 충격은 내부로 집중된다. 그 충격으로 플루토늄 구체가 압축되어 초임계치에 도달한다. 플루토늄 원자 일부가 분열을 일으켜 에너지와 잉여 중성자를 방출하고 이 때문에 더 많은 원자가 분열을 일으킨다. 이어서 더 많은 원자가 분열을 일으키고 이렇게 기하급수적으로 반응이 증가한다. 분열된 원자들이 에너지를 무한정 방출하고 주변 물질은 열을 받아 외부로 확장된다. 플루토늄 원자 사이 간격이 너무 커지면 반응이 지속되지 못하고 멈춘다. 하지만 양자역학적 반응이 끝나면 눈에 보이는 폭발이 우렁찬 소리와 함께 모습을 드러낸다. 에너지로 가득 차 태양 표면보다도 온도가 높아진 물질이 극도로 열을 받은 가스로 일렁이는 구체의 형상을 하고 외부로 밀고 나온다.

조너선 페터봄, 『트리니티』 (서해문집,2013)

2023년 가장 센세이션을 불러온 영화 중 하나는 바로 『오펜하이머』다. 『메멘토』, 『인터스텔라』의 감독 크리스토퍼 놀란의 작품이란 말 하나로도 충분한 흥행 보증수표가 되어줄만 한데 소재 자체도 사람들의 흥미를 끌기 아주 적절했다. 심지어 한국에서의 개봉 일자도 8월 15일 광복절에 맞추었으니 말 다 했다고 볼 수 있다. 그 이후로 방송과 뉴스, 유튜브에서도 원자폭탄에 대한 이야기가 질리도록 쏟아져 나왔다. 과학에 대해 일절 모르는 문외한도 알 수 있을만큼.

　한마디로 태양은 핵융합, 원자폭탄은 핵분열로 에너지를 발산한다. 나도 용기를 내어 이를 설명한다면, 원자핵은 일단 세 종류의 입자로 구성된다. 중성자와 양성자 그리고 전자다. 양성자는 (+), 전자는 (−) 전기력을 가지고 있다. 양성자 2개는 당연히 서로 밀어낸다. 이것은 전자기력이다. 반대로 양성자 2개가 붙어있는 힘도 있다. 이것이 강력이다. 오토 한, 정확히 말해서 리제 마이트너는 중성자가 우라늄 원자를 통과하며 원자를 쪼개는 현상을 발견했다. 중성자는 (+)나 (−)의 전하를 띠지 않기 때문에 원자를 뚫고 갈 수 있었던 것이다. 중성자에 의해 결합되어 있던 1개의 원자가 깨지면 새로운 구조를 가진 2개의 새 원자가 된다. 이 부분이 가장 중요하다. 분열을 하며 일부의 질량이 에너지가 된다. 무슨 이야기일까? 1 더하기 1은 2다. 아니, 핵분열에선 그렇지 않다. 1 더하기 1은 1.8이다. 각 원자에서 0.1씩의 질량이 물질이 아닌 에너지로 변환되어 열로 방출되는 것이다. 이것이 아인슈타인의 특수상대성이론인 $E=MC^2$이다. 에너지는 물질이다. 아, 이과생들에게는 아니 과학애호가인 초등학생도 알 내용을 이제야 깨닫고 흥미진진해 하는 나는 얼마나 앳되었던가 싶다. 원리를 알고 즐거워 하는 기쁨도 있지만 파편적으로 알고 있던 과학지식이 하나의 체인으로 묶여 모든 내용이 관통되는 기분은 실로 짜릿하기 그지없다. 인문학처럼 말 만들기 나름인 학문보다 과학처럼 드라이한 지식이 오히려 내겐 더 촉촉하다.

컨스터블처럼 '순수한 눈'을 이야기하면서 눈에 들어오는 세계를 '있는 그대로 그리겠다'라는 화가들의 주장에 의구심이 들기 시작합니다. 순수한 눈으로 세계를 바라보고 이를 있는 그대로 재현하려 해도 기존 회화의 전통에서 완전히 벗어나기는 마치 중력에서 벗어나려는 노력만큼 어려워 보이기 때문입니다. (...) 풍경화는 단순히 자연을 그대로 그린 그림이 아닙니다. 오히려 세계에 대한 화가의 적극적인 해석이 담기면서, 화가와 화가 간의 치열한 경쟁이 벌어지는 장입니다. 이 점을 생각하면서 이번 전시에 출품된 풍경화들을 본다면 미술을 보는 새로운 시각뿐만 아니라 그것을 변화시키려는 화가들의 부단한 노력까지도 더욱 생생하게 느낄 수 있을 겁니다.

양정무, 『난처한 미술이야기_내셔널 갤러리 특별판』
(사회평론,2023)

국립중앙박물관은 매년 특별전시를 열고 있다. 어떤 때는 상설전시관에서 열리기도 한다. 『외규장각 의궤, 그 고귀함의 의미』나 『어느 수집가의 초대_고 이건희 회장 기증 1주년 기념전』과 같이 국내의 문화유산을 모아 기획전시를 하는 때도 있다. 반면에 『합스부르크 600년, 매혹의 걸장들_빈미술사박물관 특별전』, 『아스테카, 태양을 움직인 사람들』와 같이 해외 미술관과 협력해 유물을 교환해 특별전시를 하기도 한다. 올해의 화제가 된 전시는 단연 『거장의 시선, 사람을 향하다_영국내셔널갤러리 명화전』이었다.

가끔 진품과 가품이 주는 일명 아우라의 차이란 무엇일까 진심 어린 궁금증이 생긴다. 레플리카(복사본)와 진품의 차이는 감정사나 학예사가 아니면 알 수 없다. 만약 레플리카를 진품이라고 써놓아도(그러면 대단한 실례이자 범죄겠지만) 우리는 알아챌 수 없을 테고 레플리카를 보면서 '역시 대단한 작품이고 걸작이야!'라는 감탄을 하게 될 것이다. 우리의 미적 감각이란 사실 본능에서 주어지는 피상적인 일부이고, 예술과 걸작이라 호명하는 일련의 행위는 그저 인간 사회의 룰처럼 인위적으로 주어지는 인공적 표식에 지나지 않지 않을까.

미학적 감각에 대해 비판적인 생각을 견지하면서 살아가는 내게도 이따금씩 나를 깜짝 놀라게 하는 작품을 만날 때가 있다. 그런 경우는 아주 드문데 대개 남들은 별로 흥미를 못 느끼는 작품일 때가 많다. 아즈테카 문명의 죽음의 신 믹틀란테쿠틀리 조각상을 봤을 때라던지 예산 수덕사의 괘불 등이 그러했다. 아, 그런데 이번 내셔널갤러리전에서도 그런 작품을 만났다. 윌리엄 터너의 『카르타고를 건설하는 디도』와 컨스터블의 식스푸터 연작이 그것이다. 어디에서 감동과 영감을 받았는지를 구술하는 순간 내 안에서부터 감동이 와장창 깨지는 경우가 있다. 그건 작품이 스스로에 대해서 말하지 말라는 계시라고 믿고 있다. 아마 미술은 그런 방식으로 자신을 드러내는지도 모른다. 미술이 관객을 호명해 불러내는 걸지도 모른다고 믿는다.

칼은 나를 가르치려 들지 않았고, 내 근거 없는 신념을 놀리지도 않았다. 그저 내게 완벽한 질문을 던졌다. 그 질문들은 내 마음에 남았다가, 차차 효력을 내는 약처럼 나중에 내 생각에 작용했다. (...) 칼 덕분에 나는 내가 될 수 있는 한 가장 좋은 사람이 되고 싶어졌다. 우리가 어떤 애정 어린 행위를 행하면, 상대는 늘 그것보다 더 높이 오르고 싶어 했다. (...) 그래서 나는 칼에게 배운 것을 마음에 품고 그 불꽃을 꺼뜨리지 않기 위해서 최선을 다했다. 우리가 함께했던 작업을 이어 가는 데 인생을 바치는 것이 내 새로운 목표가 되었다.

앤 드루얀, 『코스모스』(사이언스북스, 2020)

칼 세이건의 『코스모스』를 읽어보셨냐고 물었을 때 그렇다고 대답한 사람. 나는 그 사람에게 신뢰도 +20% 점수를 더한다. 『코스모스』는 지구에 사는 한 인간에게 겸허함과 경외심을 심어주기 때문이다. 『코스모스』를 읽고도 오만과 독단의 품성을 지니고 있다면 사실 책을 읽지 않았거나 한글로 쓰여진 활자만 봤을 뿐 아무것도 사고하지 않고 아무것도 느끼지 않았다. 나는 책을 읽는 몇 번이고 잠시 밖의 창문을 바라보며 공활한 하늘을 올려다보았다. 그리고 책을 덮었을 때 가슴이 참을 수 없는 설렘과 두근거림, 환희로 가득 찼다. 이런 경험은 애서가들에게 아주 드물게 찾아오는 경험이고 모든 애서가들은 이런 경험을 위해 책을 읽는다고 해도 과언이 아니다.

그 황홀했던 기분을 칼 세이건의 아내인 앤 드루얀으로부터 한 번 더 받을 수 있어서 '역시 『코스모스』란 이름을 단 책은 훌륭할 수밖에 없구나'란 생각을 했다. 당연히도 우주의 광활함과 무한함 그리고 생명의 불가사의한 신비와 소중함을 역설하는 책 앞에서 그저 하나의 개체로서 존재하는 생명은 감동하지 않을 수 없는 것이다.

나뿐만 아니라 전 세계의 독자들이 칼 세이건과 앤 드루얀의 글을 사랑하는 이유는 그들이 진정으로 호소할 줄 아는 사람들이기 때문이다. 사람의 생각에 논리적으로 설득하는 것이 아니라 마음을 진동시키는 자상하고 진정 어린 호소가 그들에 글에 들어있다. 마치 환경운동가 제인 구달처럼 말이다. 누구보다도 우주와 천체물리, 지구시스템과 환경에 대해 전문가인 앤 드루얀(칼 세이건은 작고했다)이 현재 벌어지고 있는 기후위기에 대해서 모를 리 없다. 그럼에도 그녀의 글과 말은 사람들을 꾸짖고 겁주지 않는다. 북돋고 영감을 주고 사람들끼리 연대하도록 돕는다. 기를 세워주고 할 수 있다고 비전을 제시한다. 『코스모스』는 처음에는 겸허함을 주었고 이후에는 희망을 주고 미래를 제시했다. 그래서 나는 『코스모스』를 읽은 사람의 눈이 반짝이는지를 보고 신뢰를 건네고자 하는 것이다. 인류의 연대를 위해.

센델은 생명이라는 존재를 '하늘에서 내려준 선물'이라는 인식을 갖고 바라볼 것을 호소한다. 그는 '하늘'이니 '선물'이니 하는 말을 종교적인 관점에서 쓰고 있는 것이 아니다. 우리에게 주어진 생명의 모습이 비록 우리가 기대하던 바가 아니었다 하더라도 그것을 운명적으로 받아들이겠다는 자세를 요청했다. 바로 그런 태도에서 생명을 조건 없이 받아들이고 사랑할 수 있는 성찰과 결단이 나올 수 있다는 것이다. 이는 올더스 헉슬리가 말한 '불행해질 권리'와도 맞닿아 있다. 생명이란 무엇일까를 생각해본다는 것은 단지 생물학이라는 과학의 한 분야에 대한 지식을 습득한다는 것을 의미하지 않는다. 그것은 삶을 대하는 하나의 방식을 선택하는 것이다.

정우현, 『생명을 묻다』 (이른비, 2022)

막 엄마의 태에서 태어난 아이가 크게 울 때 아이의 영혼이 이제 막 작동되기 시작했을까? 심장박동이 멈춘 순간 영혼도 소멸한 것일까? 나는 의식이라는 것, 영혼이라는 것은 생명의 다른 말로 이해한다. 그 근원의 비밀을 과학이 밝혀내지 못했기 때문에 2023년인 지금까지도 종교가 그 설명을 담당하고 있다.

1953년 스탠리 밀러의 실험은 아주 유명하다. 플라스크 안에 지구의 원시 대기를 흉내낸 공기 조성을 갖추고 전기불꽃을 반복적으로 일으켰더니 일주일 뒤 가장 간단한 형태의 아미노산이 실제로 생겼기 때문이다. 만약 여기서 그 유명한 '자기복제'를 하는 분자가 만들어졌다면 그건 실제로 생명창조라 할 수 있다. 생명이란 세대를 이어가면서 증식하여 진화를 일으키는 화학물질이기 때문이다. 그러나 결론적으로 그런 자기복제자는 만들어지지 않았다. 과연 무한에 가까운 시도가 있다면 자기복제자가 만들어질까?

대다수 과학자의 믿을만한 가설은 해저의 '열수분출공'이다. 이 곳에서 나오는 뜨거운 가스와 마그마 속에는 황화수소와 철이 함유된 유황이 많다. 태양에너지가 없이도 유기물을 합성하는 박테리아도 많이 발견되었다. 그러나 그 엄청난 압력과 고온에서 생명이 발생할 가능성도 얼마나 희박할지 예측하기 어렵다. 그렇다면 이런 가설은 어떨까? 지구가 처음 만들어지고 운석이 충돌해 지구의 일부가 떨어져 나가 달이 된 사실은 모두 알고 있을 테다. 떨어져 나간만큼 채운 외부의 미지의 행성에 사실 생명의 근원이 들어있었던 것은 아닐까? 지구의 원시수프 안에서 우연히 발생한 자기복제자가 사실은 외부에서 들여온 생명일 수도 있다. 나의 가설은 영화의 소재로 쓰이기 아주 적절해 보인다. 어떤 것이 사실이든 아직도 생명의 기원에 대해 아는 것이 적다는 게 현실이다. 인류가 인공태양까지 만들어내고 질량을 만드는 신의 입자까지 발견한 오늘에 생명에 대해선 겸손해진다. 그런 신비로운 영혼,생명,의식이 내게 깃들어 글을 쓰게 하다니 참.

현대사회의 구성원들에게 자연과학이 얼마나 중요한 지는 새삼 강조할 필요가 없습니다. 과학은 인류의 삶이 풍요롭고 바람직한 길로 갈지, 파멸의 길로 갈지 결정짓는 데 핵심적 영향을 줍니다. 자연과학을 전공하는 사람이든 그렇지 않은 사람이든 간에 이 점을 이해하는 것은 아주 중요합니다. (...) 우리나라는 겉으로 과학의 중요성을 강조하지만 정책을 보면 비과학적인 경우가 많습니다. 농담 삼아 하는 말로 1 더하기 1은 2가 아니라 3이라고 우긴다는 말입니다. 이것은 과학적 사고의 빈곤에서 유래한다고 생각합니다. 그렇다고 이과 전공자가 정계에 많이 진출하면 정치가 잘될까요? 글쎄요, 도리어 더 엉망이 될지도 모르겠네요. 그 이유는 우리나라 교육 때문입니다. 고등학교 때부터 문과, 이과를 나눠서 문과 학생에게는 과학을 공부할 기회를 거의 주지 않고 이과 학생에게는 인문학, 사회과학에 대한 소양을 기르기 어렵게 하지요. 이것이 문제의 발단이 아닐까 생각합니다.

최무영, 『최무영 교수의 물리학 강의』 (책갈피, 2019)

재작년부터 물리학에 대해 깊은 애정을 가지고 여러 책을 탐독해왔다. 스스로도 기특한 것은 여전히 수식을 계산하는 수준이나 능력에는 도달하지 못하지만 논리적으로 원리가 어떻게 구성되는지에 대해서는 얼추 고개를 끄덕이며 어줍잖지만 남들에게 설명할 수도 있는 수준이 이르렀다는 점이다. 일개 문과출신이자 20대를 문사철(문학, 역사, 철학)+신(신학)에 몰두해 온 편식주의자에겐 꽤나 고무적인 일이 아닐 수 없다.

지금은 베스트셀러 작가가 된 유시민 작가도 자신이 젊은 청년 때 과학을 접했다면, 이렇게 방황을 하지 않았을 거라며 억울해한 적이 있다. 또 고등학교 시절에 양자물리학자 김상욱 교수 같은 선생님을 물리학 선생님으로 만났다면 과학을 그렇게 어려워하지 않았을 거라고 회고했다. 나도 한편으로 과학을 오직 시험으로서 어렵게만 배운 공교육과 학원교육이 밉기만 하다. 중등교육의 탓을 이렇게 당당히 할 수 있는 까닭은 내가 초등학교 고학년 시절만 해도 여러 가지 실험과 관찰을 통해 과학에 대해 지대한 흥미를 보존할 수 있었기 때문이다. 초등학교 때 과학상상화 그리기나 발명대회에서 입상을 했고 과학잡지를 수년 간 구독하며 과학실험도구까지도 모았던, 90년대 남자아이들의 부동의 장래희망인 '과학자'의 꿈나무였다. 중학교 때도 CA(특별활동)을 '과학실험반'에 들어가서 열정을 불태웠다. 그러나 거기까지였다. 고2가 되고 문과가 되면서부터 모든 과학과 단절되었다.

교육시스템이 단절시킨 과학에 대한 흥미는 다행히도 여러 과학커뮤니케이터와 과학자들의 노력으로 30대부터 다시 불타올랐다. 첨단과학이 더욱 고도화되면서 과학을 모르고서 오늘을 사는 게 불가능한 일이 되었기도 하다. 실존주의와 니체를 아는 게 삶에 무슨 도움이 되냐고 묻는 사람과 양자역학과 표준모형이 삶에 무슨 도움이 되냐고 묻는 사람과는 이제 더 이상 대화를 하기 어렵다. 그들도 알게되리라.

후기 스토아 철학의 특징은 그들의 이론에 짙게 밴 '체념'의 정서다. 스토아학파의 우주는 신의 합리적 법칙에 따라 창조와 멸망이 주기적으로 반복되는 운명적 세계다. 그렇기 때문에 우주의 일부인 인간의 운명도 결정되어 있다고 말한다. 여기서 말하는 신이란 세계와 분리되어 독립적으로 존재하는 창조자가 아니다. 스토아학파는 자연 그 자체(또는 자연의 법칙이나 원리)를 신이라 보았고 세상 모든 개체는 신의 일부로서 신성을 갖춘 동등한 존재라고 생각했다. 스토아학파에 따르면, 모든 것이 결정된 상황에서 불행은 존재할 수 없다. 불행은 오직 불행하다고 느끼는 자신의 마음속에 있으며 불행하다는 생각 자체가 그 원인이라는 이야기다. 스토아 철학자들은, 이처럼 인간이 행과 불행을 구분하며 그릇된 판단에 빠지게 되는 원인을 정념이라고 생각했다. 즉 열정이나 충동 같은 세속적 욕망에서 해방되면 인간은 완전한 자유를 얻을 수 있다는 것이다.

이즐라, 『퇴근길 철학툰』(넥서스, 2021)

운동권에서 전해오는 금언 중에 '젊었을 때 맑시스트가 아녔던 자는 바보고, 늙어서도 맑시스트라면 그 역시도 바보'라는 말이 있다. 시대를 꿰뚫고 세계를 호령하던 이념조차도 개인의 역사에 있어서 변할 수밖에 없다. 내 사상의 변천은 어떠했던가 돌이켜본다. 공동체주의며 자유주의였고 공리주의였으며 실존주의였다. 사회주의적이었으나 자본주의적이었고 민주주의면서도 철인통치를 갈망했다. 공고한 유신론자에서 불가지론자가 되었고 사회적 합리성과 과학만능주의를 양손에 들고 가고자 하는 사람이 되었다.

최근에 머릿속을 흐르는 생각의 흐름은 불교와 스토아철학에 토대를 두고 있다. 두 철학의 공통점은 쉬운 단어론 체념이고 어려운 단어로는 공空이다. 고통의 원인이 외부에 있는 것이 아니라 내부에 있다. 주체인 내가 문제없고 외부요인이 문제인 것이 아니라 주체인 나부터 문제가 있다. 고등학교 시절과 20대 초반엔 처음부터 포스트 모더니즘에 심취했다. 보드리야르와 푸코와 구조주의를 공부했다. 절대적인 것이 없는데 다들 무언가 맞고 그른 것을 위치시켜놓고 정반正反을 나누는 것이 하잘 것 없어보였다. 반대로 20대 중반엔 플라톤부터 이어진 절대적인 무언가를 상정하는 철학에 꽂혔다. 고정된 이성, 고정된 주체는 문제없이 외부 현상을 파악하는 생각이다. 포스트 모더니즘처럼 부유하는 철학에 오래 머무르다 보니 자연히 정착할 토대가 필요했던 모양이다. 생각이 바뀐 것이 부끄럽다거나 하지 않았다. 충분한 숙고 끝에 스스로가 납득이 되면 가장자리부터 신문지에 물이 스며들 듯 차근차근 변했기 때문이다. 그렇게 변하는 생각의 끝에서 나는 세상과 나를 변혁하려는 동역학이 아닌 자연의 섭리에 유장하게 합류하여 흐르는 생각에 빠져있다. 내가 내릴 수 있는 판단은 그저 성실과 염치와 정의와 진리의 길을 따르며 살면 올림포스로 가게 될 것이란 마르쿠스 아우렐리우스의 말을 묵상하는 것뿐이다. 생각의 변화는 자연의 섭리만큼 유동하며 자연스러운 것이다.

내가 교정 교열 작업을 한 책의 저자에게 메일을 받았다. 거친 문장을 잘 읽히도록 다듬어 주어 고맙다면서 혹시 문장을 다듬는 기준이 무엇인지 알려 줄 수 있겠느냐고 묻는 내용이었다. 남의 글을 다듬으며 살아온 시간이 어느덧 20여 년이니 이런 메일이 낯설다거나 놀랍다고 할 수는 없겠지만, 이번엔 뭐랄까, 분위기가 좀 달랐다. 무엇보다 자신의 글을 함부로 수정한 것에 화가 나서 쓴 메일이 아니었다. 발신인은 '내 문장을 그렇게까지 고쳐야 했습니까?' 하고 따지지 않고 '내 문장이 그렇게 이상한가요?'라고 물었다. 내 문장이 그렇게 '이상했나요'가 아니라 '이상한가요'라고 현재형으로 물은 것도 특이했다.

김정선, 『내 문장이 그렇게 이상한가요?』 (유유, 2016)

이 시대는 여지껏 타인의 시선을 보고 살아가는 한국사회를 향한 반동처럼 자신이 하는 행위가 맞건 틀리건 당당하게 살아가는 사람들의 시대다. 그리고 전형적으로 수치심과 부끄러움이 없는 시대다. 가장 뚜렷하고 극명하게 드러나는 분야는 바로 맞춤법이다. 내가 감히 말하건대, 인터넷 기사 하나를 무작위로 선택해보고 끝까지 읽어보자. 단 한 곳도 한글맞춤법을 틀리지 않은 글은 없으며 주술 관계의 호응이 맞지 않거나 심지어 비문非文(!)까지 쓰는 글도 적지 않다. 글을 검토하지 않고 올리는 기사도 태반이고 틀린 걸 알면서도 혹은 틀리건 말건 상관없이 가장 빨리 올리는 것이 기사의 일등 가치처럼 생각하는 기자도 즐비하다. 하물며 일반인들의 댓글쯤이야.

나는 글을 쓰는 사람 이전에 글을 읽는 사람이다. 나는 평소에 이런 글을 보며 경기를 한다. 유난을 떨지 말라고? 글쎄, 처음에 나도 비문과 한글맞춤법을 폐기한 글을 읽으며 '이건 체언 뒤에 조사를 생략했으니 이 용언과 호응해야지', '이건 적절하지 않은 용언의 활용이야' 라며 이래서 틀렸고 저래서 틀렸다고 선생의 역할을 하며 나의 글쓰기 실력을 점검하는데 이용했다. 그러나 언제부터 그런 글에 지속적으로 노출되니 어느 순간 글을 쓰는데 머릿속에 선택을 하려고 열거해둔 단어들 속에 문득 틀린 단어가 숨어있음을 알아챘다. 그건 일종의 암 1기 선고와도 같았다. 나쁜 친구들과 어울리니 어느새 근묵자흑이 되어버린거구나. 그 때부터 나는 인터넷 기사나 TV프로그램, 유튜브 자막으로부터 최대한 도망다니며 단 한 매체만을 산소호흡기처럼 이용하려 애쓰고 있다. 말하지 않아도 그 매체는 당연히 책이다. 교정교열을 제대로, 상식적으로 하는, 그래서 상식 이하의 글이 발견될 가능성이 가장 적은 채널이 바로 책이다. 아마 애서가나 글쓰기를 하는 사람들은 내가 지금 하는 말에 종이에 눈물을 떨어뜨리거나 고개를 끄덕이며 한숨을 내쉬고 있을거라 믿어 의심치 않는다. 어느 것 하나 정상이 없는 시대에 사는 내가 비정상이 되었다.

물론 우리가 범인이 아니라고 말할 수 있다. 그렇다. 범인은 아니라고 치자. 더 큰 범인이 있으니까. 하지만 그렇다고 아무런 잘못이 없다는 것, 행동을 취하지 않아도 된다는 것은 핑계일 뿐이다. 폭력이 눈앞에 벌어지는데 아무것도 안 하면 방조죄이다. 우리는 우리 땅이 물에 잠기고 숲이 불타며 동식물이 멸종해 결국 우리 숨통을 조이는 현실을 방조하고 있다. 어떡할 줄 몰랐다고 해도 방조한 것이고, 범행을 돕는 줄 몰랐다고 해도 이미 동조한 것이다. 우리는 잘못을 퍼센티지로 따지면서 발을 빼고 싶어 하지만, 잘못은 있거나 없거나 하는 문제이다. 죄는 유무의 문제이며, 정도를 따지는 건 형을 선포할 때나 필요한 것이다. (...) 결국 모든 생명이 이기적으로 자기의 번영을 위해서 행동하며 이런 일이 벌어진 것이다. 그 원인, 그 욕심은 어느 한 사람에게만 있는 게 아니라 우리 모두에게 있다.

타일러 라쉬, 『두 번째 지구는 없다』(RHK, 2020)

현재도 가속 진행되고 있으며 심각한 단계에 진입하기 시작한 기후 위기는 전 세계인의 잘못이다. 미국이나 중국 같은 강대국의 횡포이고 그들이 내뿜는 탄소가 압도적인데 아프리카 대륙의 수많은 개발도상국이 무슨 잘못이냐 묻는다면 그 말도 틀렸다고 할 수 있다. 물론 아프리카 원주민들이 탄소를 뿜고 싶어도 뿜어낼 공장도 무엇도 없는 것은 일면 사실이다. 그러나 그들도 미국과 중국처럼 '살기 위해서' 강대국의 기후폭력에 가담하고 있다. 바로 플랜테이션 농업이다.

　얼마 전 TV프로그램 『나 혼자 산다』에서 전현무와 박나래가 '팜유'열풍을 일으켰다. 팜유에 온갖 음식을 튀기고 먹으며 현대인들의 야식욕구를 부추겼다. 그런 식습관 자체의 불건강성 따위를 새삼 비판하고 싶은 생각은 없다. 다만 언젠가 TV프로그램 『뇌섹시대 문제적 남자』에서 타일러 라쉬와 전현무가 같이 출연하고 돈독한 사이인 것으로 나온 걸 봤다. 타일러 라쉬가 『나 혼자 산다』에서 전현무가 팜유를 드럼통 채로 사서 전국민에게 이용하는 모습을 보여주는 장면을 봤을 때의 심정을 나는 왠지 알 것 같다. 그래서 나는 사실 사람은 그 질이 정해져 있다고 생각하는 사람이다.

　아프리카에서 농업에 종사하는 한 주민이 배출해봤자 얼마나 많은 탄소를 배출하겠는가 묻는다면 그것은 서울에 있는 우리 한 사람도 마찬가지다. 물론 우리가 더 많겠지만. 중요한 것은 우리의 생존하겠다는 욕구, 편하게 살겠다는 욕구가 모이고 모여 강을 이루고 그 강을 실체화 하는 대기업의 욕망과 합쳐 바다를 이룬다는 점이다. 하여 전 세계인의 욕망과 탐욕이 지구를 망가뜨리고 있다. 오늘날 우리 세계의 지배 이데올로기는 자본주의와 자유주의다. 자본주의의 문제도 탐욕이고 자유주의의 문제도 탐욕이고 기후위기의 문제도 탐욕이다. 돈은 평화와 안전을 가져다 준다. 단, 일부에게만. 그 대가는 모두가 진다. 근본 구조와 원리부터 불평등이 전제되어 있다. 기후위기의 대가도 불평등하게 돌아갈 것은 자명한 일이다.

하지만 책상에 대해 사람들이 잊고 있는 '또 하나의 정답'이 있다. 바로 온갖 물건이 놓인 크고 널찍한 책상이다. 책과 서류, 노트와 시계, 페이퍼 나이프, 잉크병과 필통, 커피가 눌어붙은 머그잔 서너 개 등이 난리통처럼 쌓여 있는 크고 넓은 책상 말이다. (...) 왜 물건들이 석탑처럼 쌓여 있는 크고 산만한 책상에 대해 사람들은 '한결같이' 부정적일까? (...) 그의 책상을 '카오스'라고 말하는 사람은 그 책상과 상관없는 외부인일 따름이다. 정작 책상을 사용하는 사람에게는 '더없는 질서'가 있는 책상인 것이다. (...) "나는 취향에 대해 결론을 내리고 싶어 하는 사람들이 이상하다. 나는 더 이상 좋은 취향과 나쁜 취향을 나눠 생각하지 않는다. 나쁜 취향을 불편해 하는 사람들이야말로 취향이 나쁘다는 것을 알게 됐기 때문이다. 유일하게 참을 수 없는 것이 있다면 매너 없는 태도이다."

김윤관, 『아무튼 서재』(제철소, 2017)

유튜브 채널 중 인기를 끌고 있는 프로가 있다. 바로 『청소광 브라이언』이다. '플라이 투 더 스카이'의 멤버 브라이언은 더러운 걸 못 참는 성미인가 보다. 하루에도 청소기를 4번씩 돌리고 한 톨의 먼지도 허용하지 않는다고 한다. 사람들은 결벽증에 걸려 더러움을 못 참고 청소를 하며 온 하루를 보내는 브라이언을 보며 웃는다. 그가 내 사무실 혹은 내 방을 보면 소리를 지르며 뒤로 넘어갈 것 같다. 물론 내 기준이지만 내 책상은 그렇게까지 더럽지 않다. 엉망으로 쌓여 마치 쓰레기 매립장처럼 산을 쌓은 형태는 전혀 아니다. 책상을 4등분하여 봤을 때 정확히 어느 구역엔 무엇이 놓여 있는지 구분이 된다. 서류를 쌓은 곳, 로션이나 향수, 영양제가 놓여 있는 곳, 달력과 필기구가 모여있는 곳 등이다. 내 기준에선 우주의 질서가 잡혀 있는 곳이다.

누구나 그랬겠지만 어렸을 때부터 왜 그렇게 정리를 해라, 청소를 해라라는 말을 들었을까. 물론 청결이 주는 이점은 위생뿐만 아니라 마음가짐과 성격, 태도에도 영향을 주는 것을 이해하지 못하는 것은 아니다! 실제로 정리정돈은 중요한 것을 남기고 필요 없는 것을 과감히 버릴 줄 아는 지혜를 가르치기도 하니까. 그러나 중요한 것은 내가 스스로 만족하고 행복할 수 있는 지점과 순간을 발견하는 일이 아닐까? 책상 위에서 손이 가는 곳마다 내가 필요로 하는 모든 것이 있고 내게 만족을 주는 책상이 있는 공간이라면 나는 정말 행복하다. 비단 책상뿐만 아니라 책장이 가득한 서재가 그러하고 책장에 둘러쌓인 조용한 공간에 있는 아득한 의자와 조명이 그렇다. 언제든 필사할 수 있는 필기구와 다양한 규격의 종이. 지금 나는 문득 꿈에서 깼다. 글쟁이나 활자중독자, 문구 수집가나 애서가가 아닌 이상 이런 일로 환상에 젖어있는 저자를 독자는 이해하지 못 할테니까. 요지는 우리는 각자의 공간과 순간을 소유하고 또 보장받아야 할 권리가 있다는 점이다. 그것만큼은 누구에게도 빼앗겨선 안되는 천부인권(!)이다.

이 일기장에 같은 일기는 단 한 줄도 없습니다. 그건 모든 날이 달랐다는 뜻이에요. 5년 다이어리는 매일 밤 지친 채 책상 앞에 앉은 저를 작년 오늘로, 재작년 오늘로 데려가면서 말해주었습니다. 매일이 하루 치의 인생이라고 오늘을 잘못 쓴 메모처럼 아무렇게나 구겨 휴지통에 버리지 말고, 잠들기 전 5분 만이라도 시간의 틈새를 펼쳐 들여다보라고. 평범한 일상이 평범하게 유지되기까지 내가 어떻게 애쓰고 있는지, 그런 나 자신이 얼마나 대견한 건지, 똑같다고 여긴 하루하루 속에 얼마나 다채로운 기쁨과 슬픔이 숨어 있는지… (…) 반대로 생각해보면, 그 순간 내 마음에 일어난 변화는 나밖에 모르는 거예요. 누군가 대신해 줄 수 없는 종류의 일이니까요. (…) 어떤 상황에서 어떤 기분이 들었는지 짧게 메모해두지 않았다면. 후에 그 감정을 다시 들여다보지 않았다면 그저 '알 수 없는' 불쾌함만이 남아 있었을 거예요

김신지, 『기록하기로 했습니다』 (휴머니스트, 2021)

핸드폰에 하는 메모, 유튜브에 영상으로 올리는 메모, 사진으로 남기는 메모 등 모두 저마다의 기록을 하며 살 테지만 가장 기록다운 기록은 역시 일기가 아닐까. 인터넷에 있는 정보는 수도 없이 많지만 모두 파편적이다. 그리고 중복되는 정보도 대다수다. 즉 하나의 실로 엮여있는 서사가 없이 공중에 정보 덩어리 수만 개가 떠다니는 셈이다. 우리의 메모도 그렇게 떠다닌다면 사실 없는 것이나 마찬가지다. 일기는 매일을 완결된 프레임 안에서 보관하는 메모이고 그 메모를 마치 옴니버스 형식처럼 꿰어주어 삶의 연속성을 보장해준다.

글과 이미지는 제각각의 장단점을 가지고 있고 서로 상호보완하는 형식이다. 이미지는 상징성이 짙고 영상 역시 글이 제공하는 정보량을 따라가려면 엄청난 시간과 에너지가 든다. 그 장황함이 영상을 오래 볼 수 없게 만든다. 무엇보다 이미지는 성실성을 보장하기 어려운 매체임이 확실하다. 글이 보장하는 서사를 만들기 위해 어느 세월에 이미지를 찍고 배치하여 구성한단 말인가! 나 같이 성격이 급한 사람들에겐 오로지 글, 글뿐이다.

그런 성급한 마음으로 쓴 일기는 어느덧 올해만 3권이 나왔다. 시크한 다이어리에 만년필로 한 자 한 자 수기로 쓰는 그런 여성적이고 감성적인 일기가 아니다. 마감을 5분 앞둔 웹소설 작가의 그것처럼 신들린 타이핑으로 키보드가 부서질 듯 기록한다. 순식간에 두 세 페이지를 쓴 일기는 또 거칠고 거친 갱지에 프린트 되어 순식간에 바인딩 된다. 그게 내 일기다. 일기는 내 마음의 용광로이고 대나무숲이며 명상의 동굴이면서 연인과의 은밀한 공간이다. 기록이 기록으로서 존재가치를 인정받기 위해서는 정직이 근원에 깔려있어야 한다. 그런 점에서 글은 내가 다른 존재로 현현한 실체다. 내가 죽고 나서 일기를 누군가가 봐도 어차피 나는 세상에 없기 때문에 상관은 없겠지만 그런 상상을 이따금씩 하면 온갖 상념에 젖어든다. 그럼에도 기록을 멈출 생각은 없다. 오늘도 내 글은 쏟아져만 나온다.

돌이켜 생각해보면 내가 그다지 말하고 싶어 하지 않는 주제는 주로 내가 소중하게 생각하는 일들과 관련이 있었다. 누구나 해봤을 법한 여행지에서의 경험이나 기말 고사를 위한 노력 등, 입 밖으로 꺼내면 별것 아니지만 나에게는 의미가 있는 일들을 휘발시키거나 훼손하지 않고 온전히 보관하려면 나만의 비밀로 남겨두어야 했기 때문이다. 지구에서 나 혼자만 알고 있는 완전무결한 비밀이 있다는 것은 삶을 안전하고도 신비롭게 만들어준다.

김지선, 『내밀 예찬』(한겨레출판,2022)

코로나 이후에 많은 사람들이 혼자만의 시간을 갖게끔 강제되었지만 코로나 사태가 끝난 오늘 모두들 삼삼오오 사람들을 만나며 이전의 삶으로 돌아갔다. 외향성이 짙은 사람들에겐 잠깐 당면한 일시정지 같았던 사태였고 이제 다시 들로 산으로 돌아다니는 일은 당연한 일이다. 내향성이었던 사람들에게 코로나는 사실 일상에 큰 변화를 주지 않았을 것이다. 그러나 정말 큰 변화는 나 같은 사람에게 있다.

나는 더 이상 사람을 만나지 않는다. 여기에는 여러 가지 요소가 타이밍을 맞추어 작용한 것도 있다. 코로나가 터지기 딱 몇 달 전에 다녀온 미국 여행과 강원도 여행을 통해 인간에게서 느낀 깊은 배신감과 환멸감이 최고 레벨로 치달은 때였다. 코로나 이후에 강제적으로 사람을 보지 못하고 홀로 시간을 감당해야 했다. 그것도 며칠이 아니라 2년 가량을. 동시에 교회도 더 이상 가지 않게 되었고 친구들도 이 시기가 서른이 되는 해라 하나 둘씩 결혼을 하거나 돈 버는 일에 집중을 하기 시작했다. 즉 내적인 영역과 외적인 영역 두 영역에서 홀로 있기에 최적의 상황이 만들어졌다.

소설가 김영하가 내 심정을 대변해주는 것 같았다. "마흔이 넘어 알게 된 사실 하나는 친구가 별로 중요하지 않다는 거예요. 잘못 생각했던 거죠. 친구를 덜 만났으면 내 인생이 더 풍요로웠을 것 같아요." 이제 이 말에 많이 공감하게 된다. "쓸데 없는 술자리에 너무 시간을 많이 낭비했다. 맞출 수 없는 변덕스럽고 복잡한 여러 친구들의 성향과 어떤 남다른 성격, 이런 걸 맞춰주느라 시간을 너무 많이 허비했다"면서 "차라리 그 시간에 책이나 읽을걸. 잠을 자거나 음악이나 들을걸. 그냥 거리를 걷던가. 결국 모든 친구들과 다 헤어지게 된다"고 한 그의 말은 전혀 회의적으로 들리지 않는다. 어쩌면 그것이 30대의 내가 되기 위해 20대가 느꼈어야 했던 통과의례가 아니었는지 돌이켜본다. 내밀한 세계를 되찾는 데 있어 치러야 했던 성인식 같은 거다. 지금은 정말 온전한 나를 잘 다스리고 살고 있어 행복하다.

대학을 졸업하고 국회에 내 책상이 처음 생겼던 시절에 세상 물정 모르던 한 청년을 깜짝 놀라게 만들었던 야당 의원이 있었다. 그 의원은 국회 상임위 회의장에 출석한 정부 관계자에게 여권 인사가 전화로 부당한 청탁을 했는지를 추궁했다. 그런데 그 의원이 회의장을 빠져나온 뒤 휴게 공간인 소회의실에서는 사람이 달라졌다. 장차관들에게 민원을 얘기하는데 그렇게 순한 양이 따로 없었다. 앞과 뒤가 너무 다른 모습을 보고 있자니 마음이 상했다. 정치가 이래도 되는 것인지 화도 났다. 사람이 어떻게 그럴 수 있냐고 말하지만 사람이기에 늘 앞뒤가 같기 어렵다. 그래서 앞과 뒤가 다르지 않은 분들의 존재는 고귀하다.

윤재관, 『나의 청와대 일기』(한길사, 2023)

평소 손에는 늘 신체의 일부처럼 스마트폰이 쥐어져 있다. 점심을 먹거나 길을 걷거나 버스를 기다리는 순간처럼 무언가를 들여다 봐야만 하는 시간에는 자연스레 스마트폰을 보게 된다. 네이버 어플의 첫 페이지는 보통 뉴스란이다. 어느 누군가가 말했듯 뉴스에는 우리가 몰라도 되는 일들로 가득하다. 어디에서 살인 사건이 났다더라, 어떤 기업의 합병이 이루어졌더라, 요즘 경기가 어떻더라. 사회 경제 면의 소식이 일상과 전혀 관련이 없는 것은 아니지만 그걸 모른다고 내 삶이 흔들리는 일은 없다. 특히 정치면은 더욱 그렇다.

비상식적인 사람이 집권하는 정부가 들어설 때 할 말이 많아진다. 반대로 정상적인 사람이 집권할 때는 어디 가서 목소리를 높일 일이 없다. 나는 정치를 혐오하는 사람들을 혐오한다. 정치란 그 자체로 다툼이며 투쟁이고 그런 싸움을 하기 때문에 민주정은 더욱 진화한다. 자신의 가난하고 지루한 삶에 지쳐 열심히 제 기능을 하며 싸우는 정치를 보고선 멋대로 혐오를 하는 사람들의 태도란 고운 시선으로 보기 어렵다. 그럼에도 나 역시 정치와 사람에게서 환멸을 느끼는 때가 종종 있다. 바로 앞뒤가 다른 사람을 목격할 때다.

정치인은 크게 이념에 따라 움직이는 사람이 있고 돈에 따라 움직이는 사람이 있다. 권력을 얻고자 하는 이유가 이념 때문이거나 돈 때문이거나 거의 둘 중 하나다. 현실적인 시선으로 봤을 때 둘 중 어떤 것을 위해 정치를 해도 지탄할 수 없다고 생각한다. 도덕적으로도 별로 공격하고 싶은 마음이 없다. 그러나 앞뒤가 다르게 행동하는 사람은 인간으로서 싫다. 어디에서 나오는 구역질일까. 돈을 쫓는 사람이거나 전체주의자라도 미워하지 않는 내게서 나오는 그 혐오란. 그들은 스스로도 자신을 자신으로 받아들이지 않는 자들이기에 인간이란 생각이 안 드는 것 아닐까. 탐욕적이거나 이기적인 자신을 있는 그대로 수용하지도 못한 못남. 그러면서 선한 것을 추종하는 척하는 자신도 용납하고 싶어하다니. 나는 뉴스란을 삭제한지 오래되었다.

글쓰기를 어려워하는 사람들은 먼저 말하기의 욕망과 글쓰기의 욕망이 같은 것임을 깨달아야 합니다. 무언가 말하고 싶다는 것. 이것이 글쓰기, 특히 문학적 글쓰기의 출발점입니다. 그렇다면 우리는 무엇에 대해 그토록 말하고 싶어하는 것일까요? 크게 두 가지일 것입니다. 무엇인가의 '결핍'과 무엇인가에 대한 '사랑'이 그것입니다. 사실 결핍은 욕망과 같은 것입니다. 무엇인가가 부족하거나 없으면 그것을 욕망하게 되니까요. 주변에서 나이 지긋한 분들이 하시는 이런 말씀을 종종 들으실 겁니다. "내가 살아온 얘기를 책으로 쓰면 열 권도 모자란다." 우리 역시 각자 책 몇 권쯤 쓸 만한 삶의 이야기를 갖고 있습니다. 쓸 생각을 하지 않고, 기타 여러 가지 이유로 쓰지 않을 뿐이죠. (...) 말로 할 수 없는 것을 쓰(고자 하)는 것, 이것이 문학적 글쓰기의 주체들이 갖는 최초의 욕망입니다.

박원순 외 13인, 『글쓰기의 최소원칙』(룩스문디, 2008)

책을 쓰는 일, 더 작게 들어가면 그저 일기를 쓰는 일과 그보다 더 미시적인 글쓰기인 메모를 하는 일에도 힘겨워 하는 사람들이 있다. 나는 그들의 어려움의 근원을 이해한다. 바로 문장 구조가 완결된 글을 쓰고자 하기 때문이다. 더 정확히는 서론과 본론 그리고 결론으로 이어지는 구조 속에서 신선하게 시작하는 서론으로 시작해 드라마처럼 감정을 차곡차곡 쌓아 올려 기승전결로 폭발하는 감동을 준 후, 아득한 잔여 감정을 품은 채 아련하게 끝나는 결론을 내고자 한다. 자, 그들에게 해결책을 드리겠다. 그런 글은 존재하지도 않고 전혀 매력적이지도 않다.

교보문고 매대에 누워있는 베스트 셀러의 작가나 『악령』이나 『죄와 벌』을 쓴 도스토예프스키의 글을 읽어도 지루해지는 구간은 반드시 나온다. 현대 출판물에선 간간히 오탈자나 진부하고 비문에 가까운 표현을 쓰는 글도 심심치 않게 볼 수 있다. 완벽한 글은 존재하지 않으며 완벽한 글을 쓰는 작가도 존재하지 않는다. 이 점은 글쓰기를 하는 모든 사람들에게 희망찬 구원과도 같은 말이다. 글쓰기는 마치 예술처럼 정해진 완벽과 완성이란 게 없고 그저 음악을 해석하고 연주하는 연주마다 감동이 다르듯 글마다 감동을 주는 포인트가 읽는 사람마다 다 다른 또 다른 예술이다.

피아노를 연습하며 새삼 느낀다. '손이 왜 안돌아가지'를 고민할 시간에 생각이 있든 없든 그 곡을 열 번 치는 것이 더 나은 일이다. 십중팔구 손이 돌아갈 것이고 혹여 안되더라도 '손이 왜 안 돌아가는지'라는 질문을 하지 않게 된다. 글도 엉망이든 역작이든 쓰고 쓰고 또 쓰는 것만이 왕도이다. 물론 피아노처럼 다시 되돌아보고 반추하며 스스로를 평가하고 반성하여 퇴고하는 과정은 반드시 필요하다. 성장은 오직 이 과정에서 발생하기 때문이다. 못하겠다고 울 것 같던 곡을 어느새 연주하는 자신을 바라보는 그 희열. 글에서도 동일하게 나타난다. 여전히 글을 쓸 수밖에 없는 동력은 여기에 있다.

모든 것에 반대하는 것처럼 보이는 그리프의 비판적인 글은 유비적 사고와 추론적 사유가 어떻게 갈수록 복잡해지는 세상을 이해하는데 도움을 주는지를 보여주는 강력한 사례입니다. 알면 알수록 우리는 더 많은 유추를 할 수 있게 되고, 그런 유추를 사용해 더 많이 추론, 연역, 분석하고 우리의 이전 가정들을 평가할 수 있지요. 또한 그 모든 것이 우리 내부에서 자라나는 지식 플랫폼을 확장하고 개선합니다. 그 역도 똑같이 성립하지요. 그리고 거기에는 우리의 현재와 미래 사회를 겨냥한 냉혹한 함의가 담겨 있습니다. 우리가 아는 것이 적을수록 유추를 끌어낼 가능성이나 추론과 분석 능력을 키울 가능성이 줄어드는 것은 물론, 우리의 일반적인 지식을 확장하고 적용할 가능성도 낮아지지요.

매리언 울프, 『다시, 책으로』 (어크로스, 2019)

미국의 애플사에서는 직원들의 자녀가 일정 나이가 되기 전에는 아이폰이나 아이패드 등의 전자기기를 사용하지 못하게 한다고 하는 걸 들은 적이 있다. 그들은 다큐멘터리 『소셜 딜레마』가 시사하듯 자신들의 작품이 사람들의 집중력과 사고력을 파괴하려는 목적으로 만들어진 것이 아님에도 불구하고 그런 파급효과를 만들어 낸다는 걸 스스로 인정하고 있는 셈이다. 아이패드로 공부나 독서를 한다고 해도 그 효과는 종이책과 현저하게 다르다. 언제든 온라인(On-Line)상태로 게임이나 유튜브로 접속할 수 있는 우회로가 열려있다는 사실을 제쳐두더라도 스크린으로 인식하는 활자는 종이와는 크게 다르다고 한다.

내 문제의식은 그런 효과보다도 우리가 사는 시대의 정보는 한 개인이 받아들이기 버거울 정도로 많은데 그 모든 것을 우리 머릿속에 입력해야하냐는 데 있다. 영화 『마션』에서 주인공 마크 와트니는 화성에서 조난 당하고 난 후 아무 매뉴얼 없이 자신의 지식에 의존해 기지 안에 대기를 조성하고 물을 합성하고 토양을 만들고 식물을 키워낸다. 활자에 의존하지 않고 자기가 습득한 지식과 기술에 의존했다. 외우고 이해한 지식 말이다. 물론 와트니와 같은 극단적인 상황을 가정하는 것은 과장되지만 우리가 만약 외부의 지식원에만 의존한다면 화성이 아닌 어떤 가혹한 상황에 처했을 때 스스로 가진 지식을 합성하고 추론하여 해결책을 내놓는 능력이 줄어들 수밖에 없을 테다. 가족의 핸드폰 번호조차 외우지 않고 모두 스마트폰이 기억해준다. 암기를 하는 건 시간낭비이자 에너지 낭비라고 여겨지고 내가 이해 안해도 타인에게 외주를 맡기는 등 초분업화가 이루어지고 있다.

책을 사랑하는 나조차도 책을 읽는 방식이 예전과 달라지는 것 같아 걱정이다. 빠르게 정보만 찾고 나가려는 방식 말이다. 책은 책을 읽는 긴 시간 자체가 의미있는 법인데. 그 긴 시간을 버텨내지 못하면 사고력 역시 배양되기 어렵다.

우리 삶을 한마디로 정의하자면 믿음이 배반당하는 과정이 아닐까 싶다. 끝나지 않을 줄 알았던 청춘 시절도 끝나고, 영원히 곁에 있을 줄 알았던 부모님도 언젠가 세상을 떠나고, 영원할 것 같은 호시절과 영광의 기억도 결국엔 사라지곤 한다. 어느 날은 이유 없이 우울하기도 하고 세상이 온통 적대적으로 느껴지기도 하며 벗어날 수 없는 짜증이 오랜 시간 이어지기도 한다. 그럴 때면 구명조끼처럼 꺼내 입을 내 삶에 대한 또 다른 믿음이 필요할 것이다. 어떤 시절은 그런 믿음을 쌓아나가기에 참으로 좋은 때일지도 모른다. 하나의 믿음이 무너진 시절은 또 다른 믿음이 피어오를 토양이 되어줄 것이다.

정지우, 『내가 잘못 산다고 말하는 세상에게』
(한겨레출판,2022)

2019년에 미국 여행을 갔다. LA 어바인에는 고등학교 친구 1명과 중학교 시절 교회 친구 1명이 살고 있다. 친구들과 연락을 한 뒤에 숙박과 여행 일정 몇 일을 함께 해주기로 했다. 각각의 친구는 서로 알지 못하고 나하고만 관계가 있는 상태라 이틀은 고등학교 친구에게, 이틀은 중학교 친구에게 의탁하기로 했다. 편의상 고등학교 친구를 A, 중학교 친구를 B라고 하자.

A는 고맙게도 회사의 휴가를 쓰고 나의 미국 여행을 함께 해주었다. 좋은 식당과 좋은 관광지를 데려가 주었고 많은 신경을 써주고 대화도 많이 해서 아름다운 여행 기억을 남겨주었다. 자, 이쯤되면 이야기의 전개상 B가 문제를 일으켜야 한다. 정답이다. B는 만나기로 한 날 아침부터 연락이 되지 않았다. 나는 출근을 한 A를 뒤로 한 채 스타벅스에서 4시간 가량 B를 기다리다가 결국 LA 한 복판에서 스스로의 힘으로 텅 빈 일정을 즉석에서 채워야 했다. B는 내가 미국을 떠나고 한국에 와서도 연락이 오지 않았다. 내 주변의 친구들은 B의 이야기를 대부분 알고 있고 같이 치를 떨며 내 비극적 여행을 안타까워해주었지만 끝에는 결국 모두 엉망이 된 내 여행에 웃음을 터트렸다. 그 날 이후로 어떤 퓨즈가 끊어진 것 같이 인간을 향한 신뢰와 믿음 따위가 내 머릿속에서 지워진 인상을 받았다. 교훈을 명제로 기록한다면, '자기 자신을 믿고 스스로 확정적인 대비책을 세워놓지 않고 무작정 인정에 기대어 타인에게 나 자신을 던지는 행위는 벌을 받기 마련이고 그 대가를 억울해 해서는 안 된다.'로 정리할 수 있다. 그리고 나는 삶이 훨씬 개선된 것을 느낄 수 있었다. 여행에서 의도치 않은 묘한 방식으로 성장하고 무언가를 배운 셈이다. 믿음을 배반당했지만 새로운 믿음이 생겼다. 새로운 믿음은 이제 나를 지켜주는 든든한 방패가 되어주고 있다. 무엇이 옳게 사는 것이고 그르게 사는 것일까? 나는 나만의 방식으로 나를 지키고 세상을 살아갈 힘을 얻는다. 모두 제각각의 힘으로 살고 있다. 오늘도 새 믿음을 키우면서.

D는 체중이 적게 나갔지만 체성분 측정 결과 체지방률은 상당히 높은 편이었다. (...) 근본적인 원인은 꾸준한 운동이나 올바른 자세, 적절한 식습관 등 일상에 번거로움과 고통이 필요한 이유를 자각하지 못했기 때문이다. 앞에서 말한 D의 경우 사회적으로 개인의 성공 여부를 가늠하는 직위, 돈, 소유물 등은 직장에서 열심히 업무를 수행하기 위한 동기(도파민)로 작용했을 것이고, 그 밖에 자잘한 도파민들이 업무가 끝난 시간의 결핍을 채우는 상태였다. 하지만 정작 운동을 비롯한 자기 돌봄 활동은 삶에서 빠져있었다. 이렇게 된 데에는 어려서는 공부를 잘해서 좋은 대학만 가면 되고 그다음에는 돈만 많이 벌면 된다고 생각하는 사회의 분위기도 한몫했을 것이다. 그렇게 간과된 요소들은 전반적인 삶의 기능을 일찍부터 떨어트린다

정희원, 『당신도 느리게 나이 들 수 있습니다』
(더퀘스트,2023)

러너스 하이(Runner's High)라는 말을 들어본 적이 있는가? 마라톤을 뛰는 사람들이 어느 정도의 거리에 도달하면 머릿속에서 많은 양의 도파민과 엔돌핀이 분비되며 고통이 적어지며 큰 보상감을 느끼는 현상을 말한다. 이 현상은 실재한다. 단, 러닝을 1-2KM 뛰어서는 느낄 수 없다. 내 경우에는 5KM에서 느낄 때도 있고 12KM가 넘어서는 순간에 느낄 때도 있다. 강도가 낮은 러너스 하이는 전자에서, 강력한 러너스 하이는 후자에서 느껴진다. 이때는 발목이나 무릎 등의 통증이 사라진다. 마치 마취 주사를 맞은 것만 같다. 그리고 숨이 차오르는 심폐도 안정적으로 자기 궤도를 찾아간다. 이 보상의 순간과 쾌감이 고통스러운 달리기를 처벌이 아니라 강화로 느끼며 계속해서 달리기를 하게끔 만드는 동력이 되기도 한다.

대개 달리기 등의 유산소 운동을 하지 않는 사람들의 이유는 동일하다. 고통을 겪기 싫다는 것이다. 이는 비단 달리기에 국한되는 말이 아니다. 헬스와 같은 무산소 운동이나 온갖 종류의 운동에도 적용될 뿐만 아니라 집 앞 슈퍼를 가기 위해 옷을 입고 걷는 것조차도 싫어한다. 고통을 겪지 않고 앉아있거나 누워있는 시간이 그들에겐 도파민의 향연인 셈이다. 그러나 운동을 배제하고 쉬는 그 순간 도파민을 얻어 이득을 취하는 것 같아 보이지만 실상은 반대로 노화의 가속싸이클에 탑승하고 있다. 고통을 겪고 나서야 오는 환희만이 진정한 쾌락이고 바른 쾌락이며 올바른 도파민이다. 그 외의 것은 모두 악한 일이다. 여기에 어떤 도덕적 잣대가 사용되는지 물을 필요가 없다. 바로 원시시대부터 우리 몸이 작동한 방식이 그렇기 때문이다. 자연의 섭리대로 우리 몸은 정직하게 움직일 뿐이다. 플러스 팁을 적자면 저자의 말 한마디가 의미심장하다. "그리고 스토아학파와 노장사상, 불교에서 이야기했던 삶의 태도와 삶의 뇌가 설계된 방식을 함께 이해하면 스스로를 파괴하지 않으면서 뇌를 회복할 수 있다." 뇌가 설계된 방식. 바로 자연으로부터 설계된 방식이다. 이제 일어나서 뛰자.

"구름은 한 번도 같은 모습을 하고 있지 않다. 때로는 비를 뿌리고 폭풍우도 만든다. 인간의 운명도 그와 같다. 인간의 운명도 구름처럼 결코 하나의 모습을 하고 있지 않다. 사람의 일생은 구름처럼 변한다. 평생 같은 모습으로 행복하거나 불행하지 않다. 그러나 구름은 자신의 힘으로 변하는 것이 아니다. 바람의 흐름이나 기온, 태양, 낮과 밤에 따라 변화해 간다. 그와 같이 인간의 운명도 여러 원인으로 변해 간다. 만약 따스한 햇빛과 충분한 물이 있는 곳에서 나무가 자라났다 해도 뿌리가 썩는다거나 땅 속에서 돌에 눌려 있다면 그 나무는 제대로 자라나지 못할 것이다. 원인이 보이지 않기에 모두 알아차리지 못하는 사이 그 나무는 야위어 말라 가리라."

데즈카 오사무, 『붓다』 (학산문화사,2015)

2004년부터 2020년까지 16년 가량을 개신교에서 열심을 다해 보냈다. 청소년부터 20대 모두를 교회에서 보낸 셈이다. 어떤 신념을 가지고 공동체를 조직해 친구들과 우애를 나누며 한 지향점을 향해 땀과 눈물을 나눈 경험은 종교를 불문하고 매우 소중한 일이다. 나는 사람들이 가장 소중하다고 말하는 청소년기와 20대를 이 곳에서 보낸 것을 결코 후회하지 않는다. 많은 실패와 성공을 통해 갖가지 삶의 교훈을 얻었음에 감사한다.

그러나 30대에 들어서 나는 신학에서 인문학으로, 인문학에서 과학으로 사상적 기반을 옮기는 동시에 종교의 영역 또한 개혁신학에서 불교로 상당 부분 옮기게 되었다. 조계종 직영학교인 동국대학교를 다닌 것이 큰 이유가 아니겠냐고 세간에선 말할 수 있지만 그건 지분을 따지자면 한 30%에 불과하다. 학교에서 배운 불교 이론은 모든 생각의 ON 스위치를 누르게 해준 것뿐 그 이후에 진행된 사유는 온전히 내 속에서 작동한 것이기 때문이다. 종교와 철학의 중간 영역에 서있는 불교가 내게는 더욱 설득력이 깊을 뿐만 아니라 내가 고민해온 유서 깊은 질문에 대해 기독교는 설명이 아니라 변명을 했고 불교는 납득되는 해설을 해주었다. 동아시아인으로서 서양의 카톨릭-개신교 사상을 받아들이는 것보다 불교의 사상을 받아들이는 것이 이질감이 적어서일까? 선형적(linear)이자 수직적이고 인격적인 서양의 방식보다 원형적이고 수평적이고 무아의 형태를 품은 사상이 나의 철학적 고뇌를 훨씬 자상히 품어주었다.

아마 내게 생각의 패러다임이라고 부를 대사건이나 사고의 전복이 일어나지 않는다면 향후 십수 년간은 불교적 세계관으로 살아가지 않을까. 그러나 다양한 방식의 세계관으로 세상과 스스로를 해석하고 받아들이는 경험은 죽음이 찾아오는 종국의 순간에 보다 더 나은 지혜로 마지막을 장식할 수 있게끔 도와줄 거라 믿는다. 데즈카 오사무의 역작을 눈물 홀리며 봤다. 붓다의 삶에 살을 맞댄 기분이다.

실존이 본질에 선행한다는 말은 무슨 의미인가? 인간은 먼저 실존하고 세상에 출현한 다음에야 정의될 수 있다는 의미다. 실존주의자가 이해한 대로 인간이 정의될 수 없는 것이라면, 그 이유는 인간이 무無에서 시작하기 때문이다. 인간은 오직 실존 이후에야 인간일 수 있고, 스스로 만든 모습 그대로 될 수 있다. 이처럼 인간의 본성은 이를 생각해줄 신이 없기에 존재하지 않는다. 자신이 이해하는 대로 존재할 수 있는 유일한 존재는 인간뿐이다. 이렇듯 인간은 실존한 다음에야 스스로를 구상하고, 실존으로 던져진 후에야 스스로 원하므로 결국 스스로 만들어가는 존재, 그 이상도 이하도 아니라 할 수 있다.

데니세 테스페이루, 『좋아하는 철학자의 문장 하나쯤』
(지식의숲, 2015)

철학을 공부한다고 말할 수준이 되지 않는다는 것을 알면서도 어디서나 결국엔 철학을 들여다봤다고는 할 수 있는 홍길동 같은 소개를 할 수밖에 없는 운명은 얄궂기 그지없다. 철학을 진지하게 사유한 비전공자들은 널리고 널렸지만 그런 사람들은 나처럼 섣불리 말하거나 확성기를 들지 않는다. 그렇다고 내 성정상 그렇게 죽림칠현처럼 초야에 묻혀 사색만 하고 살기에는 입이 근질거려 참을 수가 없다(!)

시험 기간에는 눈에 보이는 카페트 문양조차 흥미로워 보이고 청소기 설명서조차도 정독할만큼 새로운 능력이 생긴다고 했던가. 그런 내 눈에 들어온 것은 장 보드리야르의 『시뮬라크르와 시뮬라시옹』, 미셸 푸코의 『감시와 처벌』, 울리히 벡의 『위험사회』였다. 모두 읽다가 무릎을 치며 일어나거나 팔짱을 끼고 손가락을 잘근잘근 씹으며 앞뒤로 걸어 다니면서 경탄한 저작들이다. 하지만 가장 큰 환희를 준 것은 사르트르였다. 그의 『존재와 무』였던가, 『실존주의는 휴머니즘이다』를 읽고 철학을 기쁨으로 느꼈던 것을 기억한다.

누구나 불평등하게 태어난다. 누구는 부자로 누구는 가난하게, 누구는 남자로 누구는 여자로, 누구는 소말리아에 누구는 미국에, 누구는 똑똑하고 잘생기게 누구는 부진하고 평범하게 태어난다. 부모를 원망하는 것도 신을 원망하는 것도 그리고 자신을 원망하는 것도 부질없어 처량해진다. 그렇게 태어난 목적이 있다면 더 슬플텐데도 목적을 찾다가 이내 그만둔다. 그러다 세상에 굴복하고 그저 자동으로 죽지 않고 살아있으니 등을 떠밀려 살게 된다. 이것은 실존적 삶이 아니지만 많은 사람들이 이렇게 산다. 인간의 출생에는 목적이 없다. 온갖 사물은 제 목적을 가지고 만들어지지만 인간은 그렇지 않다. 그 목적 즉, 의미는 자신이 만들어가야 한다. 옛날 국민의례 때 제창하던 '역사적 사명' 따위는 존재하지 않지만 있다면 바로 자신의 의미를 만드는 일 그 자체가 될 것이다. 사르트르 말고도 주옥같은 '나의 철학자'의 어록을 차곡차곡 쌓아놓고 있다. 그건 진정 내 재산이다.

사람이 사람일 수 있게 만들어주는 단 하나의 특징이 있다면 과연 무엇일까요. 그 특징이란 누구에게나 내재된 자질 같은 것일까요, 아니면 갈고 다듬어 정돈할 수 있는 태도와 같은 것일까요. 저는 후자이기를 바랍니다. 누구나 인간으로 태어납니다. 하지만 사람으로 죽는 자는 많지 않습니다. (...) 인간은 공감할 줄 아는 생명체입니다. 인간이 인간으로 태어나 사람답게 살려고 노력하는 동안 그들을 다른 생명체와 구분 짓는 괴상하고 소모적이며 소란스러운 동시에 놀라울 만큼 아름다운 것이 하나 있다면, 그건 바로 공감하는 능력일 겁니다.

허지웅, 『최소한의 이웃』 (김영사, 2022)

90년대생 혹은 80년대생들이 SNS상에서 우리네의 지난 어린 시절을 추억하는 걸 보게 된다. 누구에게나 있을 유년기를 회상하는 게 아니라 90년대의 시대상, 이른바 정나미가 있었던 마을 공동체의 분위기를 그리워하고 있다. 스마트폰의 발달과 코로나 사태의 촉발로 사회는 초개인화된지 오래다. 과장하지 않고도 말한다면 서로 얼굴 한번 대면하지 않고도 모든 일을 처리할 수 있다. 처음에는 편했겠지만 시간이 갈수록 삶의 질에 영향을 미치나 보다. 그렇다면 사람에게 대면이란 자체로 고통인 동시에 삶의 필수적인 요소가 되는 것인가?

『타인은 지옥이다』라는 웹툰이 인기를 얻어 드라마와 영화로 만들어지기까지 했나 보다. 이 제목은 사르트르의 희곡 『닫힌 방』의 대사에서 나왔다. 사르트르가 말한 기투존재, 즉 우리의 의지와 상관없이 세상에 던져진 인간은 비로소 자신의 의지대로 세상을 자유롭게 살 수 있음에도 불구하고 타자와 교류하고 타자의 시선을 의식하며 살아야 한다는 점에서 불행하다. 바로 'L'enfer, c'est les autres.'(지옥, 그것은 바로 다른 사람들이다.)이 그것이다.

층간소음에도 당당한 사람들, 길거리와 가게에서 타인을 아랑곳하지 않고 고성방가하는 사람들. '타인의 시선을 신경 쓰지 않는 것'은 통칭 '개저씨'라 불리는 5060 중년 세대의 전유물이 아니라 이제 MZ로 불리는 어린 세대의 특징이 되었다. 그들에게 교양이 없는 것인지 교육이 없는 것인지 혹은 고고한 삶을 살고자 하는 의지도 당위성도 없는 것인지 자주 고민했다. 나는 그들이 어느 순간부터 일정 정도 자기 삶을 포기했다고 결론지었다. 누구나 사람으로 태어나지만 아무나 사람이 되는 것은 아니다. '천부인권'은 누구에게나 주어지지만 아무나 '천부인권'을 유지하는 것은 아니다. 나는 그것은 영구적인 낙인이 아니라 늘 갱신해야 하고 때로는 도덕적으로 박탈될 수도 있는 확인서라고 생각한다. 늘 사람으로 존재하도록 부단히 노력해야 할 의무가 있는데 우리는 그 의무를 너무 소홀히 하는 경향이 있다.

또 테스토스테론은 공간인지력, 집중력, 실행력을 높이고 용기가 생기는 등, 운전이나 모험, 연구 달성 등에 없어서는 안 될 능력을 부여하는 플러스 작용을 한다. 그러나 한편으로 폭력이나 충동적인 행동을 늘리고 논리적 사고력과 언어 능력을 저하시키며 집중력이 너무 높아져서 세부적인 것을 놓치게 하고 다른 사람에 대한 공감 결여 등의 마이너스 면을 낳는다고도 한다. 여성들이 '유감스럽게 생각하는 남성의 특징'은 아무래도 이 테스토스테론의 작용에 의한 것이 많다. (...) 이른바 대다수 '사회적으로 성공한 사람'은 '저테스토스테론 체질의 남성'이라고 한다. 제임스 교수는 테스토스테론의 수치가 낮다=뛰어난 남성이야말로 일반적으로 말하는 '남자다운'남성이라고 말한다. 즉 테스토스테론 분비량이 많을수록 남자답지 않다.

후지타 고이치로, 『유감스러운 생물, 수컷』 (반니,2020)

어느 곳에나 한 곳에 사람이 오랫동안 모이면 그 곳의 터줏대감이 존재하기 마련이다. 비단 어르신들의 노인정이나 복지센터를 예로 들 필요도 없다. 젊은 사람들이 많이 모이는 헬스장도 그렇다. 커뮤니티에서는 그런 사람들을 벼슬아치와 머슬의 합성어인 머슬아치라 부른다. 근육을 키운 것이 유세인 마냥 옆 사람을 개의치 않는 티를 내며 소리를 지르면서 운동을 하거나 물건을 쿵쿵 내려놓으며 과시를 하는 사람이다. 헬스장에 온 사람들은 모두 근골격을 키우고 싶어하는 사람들이니만큼 선망의 대상이 자신이라고 기분 좋은 상상을 하고 있는 것일까? 그런데 생각만큼 사람들은 단순하지 않아서 선망의 대상보다는 애처롭거나 처량하거나 안쓰럽거나 딱해 보이는 경우가 더 많다.(놀랍게도 이 형용사들이 모두 상황에 따라 제각각 들어맞는다!)

남자라면 남자사회에서 우월해지고 싶어한다. 중세사회라면 그것이 신분이었을 것이고 고대사회라면 힘이 아니지 않았을까. 그러나 현대사회에서 단순히 완력이 세다고 우월한 남성으로 부르긴 어려워 보인다. 프랑스의 철학자 부르디외에 따르면 소득이라는 경제 자본, 인맥이나 사회 네트워크라는 사회 자본, 교육이나 향유하는 문화, 학위 등의 문화 자본 같은 분화된 힘을 모두 갖춰야 하기 때문이다. 그럼에도 가장 남성을 원초적이고 매력적이게 보이게 하는 것은 여전히 힘이고 근육인가 보다.

그러나 생물학적으로 수컷의 인생은 기구한 운명이다. 도킨스의 『이기적 유전자』에도 나오지만 구애를 하는 쪽은 수컷이고 선택하는 쪽은 암컷이다. 이 구도는 인간도 예외가 아니다. 그래서 암컷에게 강한 수컷임을 보이기 위해 위험한 행동을 하고 모험을 즐긴다. 거기서 살아남은 자신이 강한 수컷임을 알리려고. 글쎄, 그런데 테스토스테론 수치가 높은 게 강한 수컷임을 보이기엔 좋으나 실제로 살아남기가 어렵지 않을까. 현대 사회로 들어온 것은 인류 역사에 1초에 불과한 시간이기 때문이다. 어느 쪽이든 참 유감스럽고 가엾다. 수컷.

계통발생학적으로 쾌락과 고통을 처리하는 가장 오래된 신경 장치는 진화 과정을 걸치면서 대체로 온전하게 살아남았다. 우리는 쾌락이 없으면 먹거나, 마시거나, 번식하지 않을 것이다. 그리고 고통이 없으면 상처나 죽음으로부터 자신을 보호하지 않을 것이다. 반복적인 쾌락으로 우리의 신경 설정값이 높아지면, 우리는 자신이 가진 것에 절대로 만족하지 않고 언제나 더 많은 것을 바라면서 끝없이 갈등할 것이다. 하지만 여기에 문제가 있다. 인간은 궁극적인 추구자다. 쾌락을 좇고 피하는 세상의 시험에 너무나 잘 대응해 왔다. 그 결과 우리는 이 세상을 결핍의 공간에서 지나치게 풍족한 공간으로 바꿔놓았다. 그러나 우리의 뇌는 이 풍요로운 세상에 맞게 진화하지 않았다. (...) 건조기후에 살아가는 선인장이 열대우림에 던져진 것처럼 우리는 과도한 도파민에 둘러싸인 환경에 살고 있다. 결과적으로 지금의 우리는 더 많은 보상을 얻어야 쾌감을 느끼고, 상처가 덜하더라도 고통을 느낀다.

애나 렘키, 『도파민네이션』 (흐름출판, 2022)

주말에 느즈막히 일어나 침대에 누워 스마트폰으로 릴스와 쇼츠 스크롤을 내리다 보면 어느새 한 시간, 두 시간이 지나고 나서야 화들짝 놀란 경험을 누구나 가지고 있으리라. 그 후에 찾아오는 죄책감과 허망함은 사실 예정되어 있던 대가인지도 모른다. 이런 매카니즘은 도박과 정확히 일치한다. 도박은 불확실성 속에서 언제 잭팟이 터질지 모르기 때문에 당첨이 되었을 때 그동안 시행한 시도에 내재된 모든 기대감을 일시불로 받아 도파민이 폭발적으로 분출하는 구조다. 즉 쇼츠와 릴스를 내리는 수백 번의 시도 가운데 언제 마음에 드는 잭팟이 터질지 몰라 계속 배팅을 거는 셈이다. 중요한 사실은 잭팟이 금방 터지든 안 터지든 간에 이 시스템에 수십, 수백 시간이 투입되었다는 점이고 이미 중독의 늪에 빠졌다는 현실을 깨닫는 일이다.

더 문제가 되는 건 이 매커니즘과 구조를 알면서도 빠져나갈 수가 없다는 데 있다. 디지털 디톡스와 같은 노력은 도파민을 무분별하게 분출시키는 디지털 착취 구조에서 벗어나겠다는 시도이지만 대부분은 처절하게 실패를 맛보고 만다. 『도둑맞은 집중력』의 요한 하리와 다큐멘터리 『소셜 딜레마』는 실패는 정해진 결말이며 개인이 실패의 죄책감을 지도록 설계되었다고 말한다. 그것이 소셜 미디어 기업들의 전략이라고 지적한다.

원시시대의 호모 사피엔스와 현대 호모 사피엔스의 뇌 구조는 차이 없이 동일하다. 호모 사피엔스로 시작해 수십 만년에 걸쳐 형성된 뇌가 단 십 년에 불과한 스마트폰 발명 역사의 속도에 적응할 수가 없다. 원시시대로 따지면 고생스럽게 하루 수 십 키로씩 수렵과 채집을 다니지 않아도 하늘에서 매일 식량이 떨어지는 셈이다. 아마 얼마 못가 뇌는 망가지고 말 것이 뻔한 시나리오다. 수십 년이 지나 스마트폰의 폐해에 대해 과학적으로 규명되는 날이 온다면 후손들은 우리가 지난 날 DDT같은 살충제를 온 몸에 뿌리던 역사처럼 오늘을 몸서리치며 회상할지도 모를 일이다.

유감스럽게도 많은 이가 어떤 종류의 신, 어떤 종류의 더 높은 힘을 믿지 않으면 도덕적인 사람, 즉 선한 사람이 될 가망이 없다고 생각하는 듯하다. 또는 더 높은 힘에 대한 믿음이 없는 사람은 옳고 그름, 선과 악, 도덕과 부도덕을 구별할 기준을 가지고 있지 않다고 생각한다. (...) 왜 누군가는 여러분이 선한 사람이 되는 데 신이 필요하다고 생각할까? (...) 비이성적이든 아니든 신이 자신의 일거수일투족을 지켜보고 있다고 진심으로 믿으면 선하게 행동할 가능성이 높다는 주장은 유감스럽게도 설득력이 있어 보인다. 솔직히 나는 그 생각이 싫다. 나는 인간이 그보다는 나은 존재라고 믿고 싶다. 나는 누가 지켜보든 말든 나 자신이 정직하다고 믿고 싶다.

리처드 도킨스, 『신, 만들어진 위험』 (김영사,2021)

개신교 신앙을 가진 지난 십 수년은 세간의 도전에 끊임없이 교회를 변호하는 과정의 연속이었다. 세간의 도전이라 함은 과학주의 무신론의 공격처럼 올바른 공세와 함께 자본주의와 신자유주의처럼 공동체주의를 무너뜨리는 시대의 흐름도 포함되어 있었다. 또 비단 외부에서만 아니라 스스로 이성적으로 가하는 내면의 목소리도 같은 종류의 비판이라 할 수 있다. 『성서』를 현대인의 시각에 맞게 재해석하고 반성할 부분을 반성하고 대항할 수 있는 부분을 대항하는 과정은 때론 열정을 넘치게 했고 때론 고루하고 의미없는 일처럼 보이기도 했다. 아마 그 끝에서 패색이 누적되어 뚜렷해진 어느 날 나 역시 백기 투항을 했는지도 모른다.

투항의 가장 큰 이유는 다음과 같았다. 인문학과 신학이라는 프레임으로 보던 세상은 서로의 의견이 맞고 틀리는 전쟁의 각축장이었다면 과학의 승패가 명백하고 뚜렷한 스포츠 경기였기 때문이었다. 스포츠 경기는 승패가 존재하지만 상대를 절멸시키지도 않고 서로를 자신의 성장의 동력으로 삼고 배우고 독려하는 멋진 자세의 스포츠맨십이 있는 영역이다. 과학은 끝난 일에 왈가왈부하지도 않고 늘 미래를 보고 생산적이고 밝고 쾌청한 인류의 다음을 위해 일신을 바치는 공간이었다. 이미 지지부진하고 삶에 싸움과 분쟁만을 가져다주는 논쟁에 지친 내겐 당연한 선택지였다.

리처드 도킨스는 이미 『만들어진 신』이라는 책을 통해 자신의 전투적 무신론을 펼친 적이 있다. 이 『신, 만들어진 위험』은 종교의 폐해를 더 적나라하게 말하고 있다. 이미 완독하지 않고 절반까지만 읽었지만 더 읽지 않아도 그대의 마음을 안다고, 책을 덮고 손바닥으로 두 어번 두드려줬다. 그리고 리처드 도킨스에게 상당한 빚을 지고 있다는 마음을 투영하듯 그의 책을 책장 한 쪽에 모아두었다. 아마 다른 책을 모두 솎아내어도 도킨스의 책은 끝까지 살아남을 것 같다는 생각을 하며 한동안 책들을 쳐다보았다.

현대 사회는 과학 사회이다. 과학은 인간이 지구를 통제하게 해주었고 이제 그 범위를 우주로 확장시키고 있다. 지금껏 인류를 위기에서 구해낸 것은 과학이었고 위기를 초래한 것도 과학이었다. 또 그 위기를 해결한 것 역시 과학이다. 우리가 원했든 원하지 않았든 이제 과학은 우리 생활 곳곳에 스며 있고 우리 행동을 간접적으로 지배하고 있다. 현대 사회에서 과학을 알지 못한다는 건 우리를 둘러싼 세상을 보지 못하는 것과 같다. 과학적 소양이 있는 사람과 과학적 소양이 없는 사람의 시각은 다르다. '무엇이 좋은 것인가?'에 대한 대답은 하지 않겠다. 하지만 평생 지구가 거대한 거북이 등껍질인 줄 알고 살다 간 고대인들은 정말 안타깝지 않은가?

이과형, 『이과형의 만만한 과학책』 (토네이도, 2023)

'지구가 거북이 등껍질인 줄 알고 살다 간 고대인들은 정말 안타깝지 않은가?'라는 질문에 대해서 '별로, 그다지'라고 대답하는 사람이 있고 '그렇다, 안타깝다'라고 답하는 사람이 있다. 바로 그 별 것 아닌 대답의 차이가 결정적이다. 고등학교 시절 친구들 사이에서는 모두들 속된 말로 '그 나물에 그 밥'이다. 같은 옷을 입고 같은 공간에서 하루의 태반의 시간을 같이 보내야 했기 때문에 차이가 나지 않는다. 그러나 야간자율학습이 끝나고 개인에게 주어진 한 두 시간을 누군가는 PC방으로 누군가는 독서실로 사용한다. 그 차이는 작게는 수험생활이 끝나는 날에, 멀게는 30대, 40대가 되어서 사회적 위치의 차이로 나타난다. 대답이라는 작은 차이, 하교 후의 한 두 시간이라는 차이가 만드는 결과란 사뭇 다르다.

경제 신문에서는 어려서부터 경제 관념 교육을 시켜야 한다고 목소리를 높인다. 그것은 맞는 말이다. 대학을 가는 이유도 결국 취업을 위해 가고 취업을 하는 이유도 결국 돈을 벌기 위해서다. 한 몫의 인간으로 기능하기 위해서다. 돈에 대해서 제대로 알아야 사회에서 당당한 구성원으로서 역할을 담당할 수 있다. 그런데 이젠 과학도 그런 위치에 놓아야 하지 않을까? 예컨대, 지주회사와 관계사, 자회사, 종속회사 등의 개념을 모르는 것과 물질의 표준모형과 기본 상호작용을 모르는 것은 내 입장에선 동등한 일이다. 지주회사의 개념을 모른다고 내 삶에 당장 피해가 발생하진 않는다. 마찬가지로 입자의 구성과 4대 힘의 작용원리에 대해 모른다고 나라는 물질이 사라지진 않는다. 그러나 막상 주식을 사야 하고 주식을 사기 위해 기업을 분석하고 기업의 구조를 알아야 할 때, 내 일상과는 상관없다고 여긴 지식은 내 이익의 가장 중요한 요소가 된다. 과학도 실제로 그런 기능을 수행한다. 철학과 마찬가지로 실용적이지 않아 보이는 무언가는 사실 가장 실용적인 무언가다. 한번 물어보자. 사계절이 왜 생기는지, 깃발이 바람에 흩날리는 것은 4대 힘 중에 어떤 힘인지 알고 있는가?

한신... 한생의 사형 때에는 집행관으로 참석을 했더니 이번에는 한신 자신이 기름 솥으로 끌려가고 있는 것이다. 당초 목적이던 한韓나라 재건을 포기한 것이 잘못인가? 그 벌 값인가? 파초 대원수, 동제왕... 뒤에 제나라 대왕까지 먹었던 그는 처참하게 죽고 만다. 장자방, 장량 선생... 죽이는 자 누구이며 죽는 자는 누구인가? 인간이 인간을 죽이는 일이 그릇된 것임을 알고 그것을 없애기 위해 동분서주 바쁘기만 하더니 그 짓 또한 허무하고 부질 없음을 알았다. 한 가지 분하고 서러운 것이 있나니... 인간사 부질없음을 이토록 뒤늦게 깨달은 일이다.

고우영, 『초한지』 (자음과모음, 2003)

일본의 요코야마 미츠테루를 아는 사람이 있을까. 나는 그의 작품으로 일본 문학의 대서사시를 읽었다. 그가 없었더라면 책을 필 엄두조차 낼 수 없었을 것이다. 그가 그려낸 작품 중 야마오카 소하치의 대작 『도쿠가와 이에야스』, 『오다 노부나가』, 『도요토미 히데요시』와 『칭기즈 칸』은 동아시아사를 좋아하는 내게 깊은 감동을 주었다. 완독하지 못한 부분도 있으나 언제든 다시금 읽을 마음을 불러일으킨다. 그는 2004년에 69세의 나이로 사망했다. 요즘으로 치면 젊은 나이이다. 한국에서 요코야마 미츠테루와 비견되는 작가가 바로 고우영이다. 그도 2005년에 66세의 나이로 타계한 것을 생각하면 정말 비슷하다고 생각된다.

2005년 그가 사망하던 해, 아버지는 내게 고우영의 『삼국지』, 『수호지』, 『임꺽정』 등의 작품을 선물로 주셨다. 초등학생 때 수호지와 삼국지를 읽었지만 그것은 10권 분량 중 앞의 3권까지 읽은 것이 최대였다. 선물 받은 고우영의 작품으로 비로소 삼국지를 완독했고 그 이후로도 여러 차례 반복해 읽었다. 동아시아인으로서 삼국지는 교양 중의 교양이고 삼국지를 읽지 않은 사람과는 인생을 논하지 말라는 금언도 있을 정도니 그 전부터 꼭 읽고 싶었던 책을 읽게 도와준 고우영이라는 작가에게는 큰 빚을 진 셈이다.

이 후에도 『십팔사략』, 『열국지』 등을 읽었다. 고우영을 통해 만화의 힘을 제대로 알게 된 듯하다. 그래서 일본의 데즈카 오사무나 요코야마 미츠테루를 더 알게 되었고 그들을 통해 『붓다』나 『불새』 같은 작품 그리고 위에 기술한 대작들을 맛 볼 수 있게 되었다. 나는 만화를 우습게 아는 사람과는 깊은 대화를 하지 않는다. 만화는 손도 대지 못할 책을 읽어주는 자상한 어머니와 같다. 얼추 가늠이 된 책은 더 이상 두려움의 대상이 아니요 흥미와 호기심의 장난감이 된다. 실제로 그 이후에 내가 『삼국지』와 『초한지』를 몇 번을 읽었는지 셀 수 없다.

나는 이 사건을 통해 많은 것을 얻고 많은 것을 잃었다. 이미 예상하고 각오했던 바이지만, 내가 살아온 50년 동안 부자연스럽고 어색하게 얽힌 인간관계들을 잃었다. 차라리 깨끗하게 잃은 것이 다행이라고 본다. 그리고 더 소중한 것을 얻었다. 얻은 것은 진정으로 예수의 길을 걷고 있는 신부님들, 평생 함께 갈 친구, 너무나 성실하고 헌신적인 변호사와의 만남이다. (...) 사제단 원로인 김병상 신부는 나를 호되게 야단쳤다. "지금까지 삼성에서 호의호식하다가 이제 와서 뭘 어쩌자는 것이냐"라고 했다. 다른 원로 신부들에게도 야단을 맞았다. 하지만, 신부들이 나를 야단만 친 것은 아니었다. 너무 큰 진실을 안고 버둥대는 나를 안타까워한 것도 그분들이었다. 개인적인 상처와 부담에 대해서도 그분들은 따뜻하게 위로해줬다. 사제단 신부들의 섬세한 배려 속에서 나는 내 삶을 돌아볼 기회를 얻었다. 내가 저지른 죄를 반성했고, 앞으로 내가 할 일을 찾았다. 그렇게 양심고백을 준비했다.

김용철, 『삼성을 생각한다』 (사회평론, 2010)

이 책의 옆면을 보면 내가 붙인 포스트잇이 거의 매 페이지마다 다 닥다닥 붙어있어 무지갯빛으로 온통 장식되어 있다. 보통의 책은 저자의 주장이 한 두 단락 혹은 몇 문장이 나온 후에 지루한 부연, 예시, 상술 등으로 줄글이 이어진다. 그러면 속으로 '알겠다고...'하는 마음으로 심드렁하게 활자에게 손을 잡혀 질질 끌려가듯 독서를 한다. 좋은 책은 그렇게 연행되는 도중 틈틈이 신선한 풍광을 보여주어 독자를 환기시킨다. 그렇게 달래가며 책의 끝까지 데려간다. 그러나 이 책은 그런 여유 따위 존재하지 않는다. 그러나 단 한 순간도 예리한 집중력이 흩어지지 않고 저자의 말에 귀를 귀울이게 된다. 나는 심지어 무릎을 꿇고 고요한 중에 읽는 상상을 했다.

사람을은 대개 강자를 선호한다. 도덕적인 사람도 약자를 편들다가 강자의 편이 되는 경우도 많다. 평생 지는 쪽에만 서 있는 게 질렸다고 한다. 늘 누군가를 비판하고 늘 누군가의 잘못을 지적하는 게 질렸다고 한다. 결과를 보니 자신은 늘 지는 사람 편에 서있고 강자는 늘 잘되고 돈도 잘 벌고 처벌도 받지 않고 호의호식할 뿐만 아니라 근심도 걱정도 없다. 오직 늘 지고 가난하고 처벌받고 불행하고 걱정도 많은 삶은 지는 사람들의 몫이다. 그래서 사람들은 나이가 들수록 보수세력이 된다.

고 이건희 회장과 이재용 회장의 네이버 뉴스 기사에는 그들을 칭송하는 댓글로 도배된다. 국정농단에 가담했든지, 불법 상속을 했든지 열거하기도 힘든 사건사고 따위는 아무런 관심사가 아니다. 돈이 많은 것은 과연 도덕에 우위에 선다. 그것이 당위적으로 옳지 않다 말하더라도 세상은 그것을 결과로 증명해준다. 많은 사람들은 도덕이 이기지 못하는 것을 세상을 배운다라는 말로 이해한다. 김용철 같은 사람은 어떤 별종일까. 그런 사람의 삶을 닮고 싶다기보다 그 삶 앞에서 멈춰 고민하게 되는 사람은, 적어도 세상을 덜 배운 사람일까 아니면 세상을 비로소 배운 사람일까.

나는 스포츠 경기에 적용되는 기본적 수준의 '공정'을 우리 사회에 접목시키려 노력해야 한다고 생각한다. 여기서 중요한 점 두 가지를 뽑자면, 첫 번째로 '반칙 없는 경쟁 과정'을 만들고, 두 번째로는 '계속 변화해 나가야한다는 것이다. 왜 애초에 공정이 우리 사회의 화두가 되었는지 생각해보자. 그것은 바로 필드에서 뛰는 당사자들이 '반칙 행위'를 신고했기 때문이다. 혹은 문제를 일으킨 특정 행위가 지금의 시대에 비추어 옳은지 혹은 옳지 않은지 제대로 규정되어 있지 않았기 때문이다. 올림픽 경기에 뛰는 선수들은 출발선에 서서 '이 경기가 진짜로 공정하게 진행될까?'와 같은 고민을 하지 않는다. 그들은 단지 정해진 룰을 숙지하고 게임에 참여해 자신의 목표를 향해 내달릴 뿐이다. (...) 하나의 언어로 공정을 정의하긴 어렵지만, 세상을 조금 더 공정하게 만드는 일은 충분히 가능하다. 그를 위해 가장 먼저 필요한 것은 나와 의견이 다른 상대방을 무조건 배척하지 않고 인정해야 하는 부분은 인정하는 것이다.

임홍택, 『그건 부당합니다』(와이즈베리,2022)

'공정과 정의'의 화두는 박근혜 정부부터 수면 아래서 부상하여 문재인 정부 시기에 가시적인 사회의 화두가 되었다. 그로부터 5년여 시간이 지난 지금은 어떨까. 모르겠다. 섣부른 나의 판단은 아무런 근거가 확보되지 않은 지레짐작에 가깝다. 나는 대기업 조직에 속해 있거나 사회에서 활발히 활동하지도 않으며 정해진 삶의 레일 위에서 세상을 관망하는 위치에 있을 뿐이다. 필드에 있는 당사자가 아니고서야 관찰자의 눈이란 장님이 코끼리를 만지는 격이다.

  그러나 한 가지 의식되는 분위기는 역시 체념이다. 미식축구감독인 베리 스위처가 이렇게 말했다고 한다. "어떤 사람들은 3루에서 태어났으면서도 자신이 3루타를 친 줄 알고 살아간다." 정말로 그런 사람도 있지만 그런 사람은 사회에서 그리고 구성원 사이에서 취급받지 못한다. 그런데 3루타 출생자는 그런 취급에 연연하지 않는다. 그러거나 말거나 어차피 자신은 타고난 부와 신분을 통해 승전가도를 걷기만 하면 되니까 말이다. 여기서도 그저 PC(정치적 올바름)를 운운하며 도덕과 사회 정의를 외치는 사람만이 외로워질 뿐이다. 사회의 목소리가 모일 정도로 대다수가 공감하는 이슈지만 누구 한 명이 이 문제를 위해서 일생을 갈아 넣고 싶지도 않다. 그 심정은 특정 개인의 심정이 아니라 대다수의 심정이다. 어차피 결과는, 세상은 자신들이 어떻든 그들이 원하는 대로 흘러가니깐 말이다.

  그래서 공정과 관련된 책을 여러 권 읽어보았지만 모두 대동소이했다. 저자는 『90년생이 온다』이기도 하다. MZ와 관련된 청년 저자들의 책도 모두 공통된 비판론을 펼칠 뿐 실질적인 대안을 내지 못한다. 세대교체론만이 유일한 해법이라고, 5060세대가 모두 늙어 사회에서 퇴장하고 2030들이 기성세대가 되면 바뀔까? 두려운 것은 그들역시 기성세대가 되면 적게든 많게든 자신의 손에 쥔 것이 있게 된다는 점이다. 자리에 따라 사람이 바뀌는 게 아니다. 원래 그랬던 사람이 자리에 앉게 되자 비로소 자신이 되는 것이다. 그것이 걱정된다.

문을 찾아 통과할 생각을 조금이라도 가진다면 '무문관'은 절대로 통과할 수 없습니다. 당연하지요. 문이 없다고 했으니 아무리 찾으려 해도 문은 찾을 수 없을 테니까요. 무문관에는 이곳을 통과했던 선배들이라면 예외 없이 반드시 지나가야만 했던 비밀스런 문이 있을 거라는 헛된 믿음을 가진 사람도 있을 겁니다. 그렇지만 영민한 독자라면 이런 헛된 믿음을 가진 사람은 애초에 주인으로 살려는 의지가 없다는 것을 직감할 겁니다. 사실 스스로의 힘으로 생각하고 행동하려는 사람에게 이미 다른 사람들이 지나간 문은 관심의 대상도 아닐 테니까 말입니다. 잠옷을 입고 실내에 있는 것이라면, 이미 대부분의 사람들이 모두 한 일입니다. 잠옷을 입고 실외로 나가는 것이라면, 이미 베케트의 주인공들이 모두 한 일입니다. 잠옷을 입고 실내에 있지도 않고 실외로 나가지도 않는 어떤 행동이 가능할 때에야, 우리는 비로소 자기만의 행동을 개시할 수 있게 될 겁니다. 무문관의 경우도 마찬가지입니다.

강신주, 『매달린 절벽에서 손을 뗄 수 있는가?』
(동녘, 2014)

오랫동안 시행착오를 겪고 나서 나는 나 자신을 일부만 믿기로 했다. 나의 정신이란 육체와 긴밀하게 연결되어 있기 때문이다. 내가 죽는다는 것은 세포의 생명 활동이 끝날 때를 의미한다. 물질이 흩어지기 시작하는 첫 순간에 내 영혼과 의식도 멈추고 사라진다. 즉 내 영혼은 물질에 기반해서 만들어졌다. 나의 주체적인 의지에 따라 만들어진 듯한 열정과 절망 등의 기분 또는 생각도 모두 육체의 물질에 기반한 호르몬 작용이다. 심지어 자유의지도 모두 호르몬의 산물이며 호르몬의 분비마저 유전자의 설계대로 움직인다. 육체에 속박된 영혼을 온전히 신뢰하는 일은 온당치 못하다. 영원히 불변하는 자아(아트만)란 허상이다.

내가 사라지면 가족은 매우 슬퍼할 테다. 그것은 반대의 경우도 마찬가지다. 우리는 서로 집착을 하고 있다고 볼 수 있다. 월암 스님의 예가 여기 있다. "해중은 100개의 바퀴살을 가진 수레를 만들었지만, 두 바퀴를 들어내고 축을 떼어 버렸다. 도대체 그는 무엇을 보여 주려고 한 것인가?" 공 들여 만든 수레가 해체되었을 때 수레는 과연 어디로 간 것일까. 처음부터 수레는 없었는지도 모른다. 공들여 만든 수레라는 개념을 가진 사람, 즉 비싸게 팔 마음이 있던 사람의 마음에 존재했던 것이다. 그는 수레에 집착한 사람이다. 수레란 그저 처음부터 거기에 있었거나 처음부터 존재하지 않았거나 둘 중 하나에 불과하다.

나 역시 나의 존재에 집착하고 있다. 생에 집착하기 때문에 죽기 싫고 다치기 싫고 병들기 싫다. 가족에게 집착하기 때문에 가족의 죽음과 질병을 기피한다. 나는 그저 원소의 모임이자 물질의 연합체에 불과한데. 거기에서 생겨난 영혼이란 끝없이 집착을 부른다. 나 혼자만 집착을 버린다고 해서 행복할까? 나의 죽음을 슬퍼하는 가족 사이에서 그들의 슬픔에 초탈한 나는 바른 해탈을 한 걸까? 끊어내면 새로운 번뇌가 생긴다. 끝없는 질문만이 이어진다.

암흑 웅덩이 속으로 바리온이 모일 때, 암흑 물질 대 바리온의 질량비는 우주 전체와 비슷하게 6 대 1 정도였다. 즉 암흑 물질이 압도적으로 우세했다. 하지만 이 상황이 어디서나 그런 것은 아니다. 암흑 물질은 중력 상호 작용만 하므로 그 질량 분포가 비교적 완만하고 시간이 흘러도 큰 변화가 없는 데 반해, 바리온은 온갖 힘을 다 겪으므로 서로 부딪힐 때 모습도 바뀌고 성질도 바뀌면서 급격하게 변하는 질량 분포를 갖게 되는 것이다. 따라서 은하단 전체에서는 암흑 물질이 우세하더라도, 실제로 은하가 형성되는 지역에서는 바리온 물질 밀도가 암흑 물질 밀도보다 수백만 배 더 높다. 이렇게 바리온 기체가 많이 몰려든 지역에서 수많은 별이 탄생하고 따라서 은하가 탄생한다. 그런데 여기까지는 이론적인 설명이다. 그렇다면 정말로 별과 은하는 이런 과정을 통해 생성되었을까? 그것을 증명한 관측 실험이 있다. 바로 허블 딥 필드 프로젝트Hubble Deep Field Project가 그것이다.

이석영, 『모든 사람을 위한 빅뱅 우주론 강의』
(사이언스북스, 2009)

문명이 시작된 이래로 호모 사피엔스는 수없이 많은 사람을 죽이고 또 반대로 죽으며 역사를 걸어왔다. 질병이 아닌 가장 큰 이유는 종교였다. 생각이 다르고 믿음이 다르다는 이유로 죄라는 명분을 만들어 무고한 사람들을 대량 학살했다. 지구의 표면에는 죄 없는 사람들의 피와 시신이 묻혀있다. 철학과 사상은 시간이 지나도 틀렸다고 규정되는 일이 없다. 플라톤의 이원론 철학은 중세 신학의 수직적 기본 구조가 되었고 근대에 이르러선 데카르트의 주체와 외부세계를 구별하는 이원론으로 발전했다. 반대로 확고한 주체를 상정하던 생각들은 포스트모더니즘 사조에 이르러 해체되고 구조적으로 만들어진 것에 불과하다며 비판받기도 했다. 이렇듯 생각이란 어느 하나가 틀린 것이 없이 그 자체로 존재하는 의미가 있다. 생각이란 하나의 아이디어로서 존재하는 의미가 있고 가지고 있는 한계 역시 생각의 의의다.

어떤 한 가지 생각만을 옳다고 믿는 믿음 자체가 불러오는 파국은 너무나 비참하다. 믿음과 생각을 보존하기 위해 죽어간 생명은 다시 돌아오지 않는다. 호모 사피엔스는 상상의 산물인 신념을 위해서 실재하는 생명을 없앨 수 있는 존재다. 그런 비참한 현실을 알수록 공부하는 맛이 뚝뚝 떨어졌다. 그러나 죽으란 법은 없는 걸까? 나를 구원해준 건 엉뚱하게도 과학이었고 그 첫 주자가 천체물리학이었다. 특히 광활한 우주의 역사와 우주의 구조, 원리에 대해 알아갈 때면 칼 세이건의 '창백한 푸른 점'에서 찰나 같은 수천 년의 시간 가운데 벌어진 아웅다웅한 인간의 삶의 궤적이 우습게만 느껴진다.

현대과학은 첨단의 첨단을 향하고 이 시대는 과학이 교양이 아니라 삶과 생존의 영역에 들어섰다. 그런 상황 속에서도 인간의 쟁투는 예나 지금이나 변함이 없다. 세계는 전쟁을, 국내는 정치적 분쟁, 사회는 양극화, 남녀차별, 인종차별, 지역차별, 학력차별 등 만들 수 있는 온갖 불행을 스스로 만들어 낸다. 그럴수록 나는 우주를 보고 과학을 쳐다본다. 구원이 여기서 난다.

제2차 세계대전이 끝나고 나치스가 무너지자마자 유대인 난민들은 팔레스타인에 자신들의 조국을 세우고자 했다. 그리고 국제연합은 이를 승인했다. 1948년 5월 14일... 유대인들의 새 나라가 이스라엘 공화국이라는 이름으로 첫발을 내디뎠다. 그러나 팔레스타인에는 종교도 풍속도 유대인과 완전히 다른 아랍인들이 살고 있었다. 그들이 순순히 유대인의 건국을 인정할 리 없었다. 여러 아랍계 국가들이 금세 삼면으로부터 이스라엘을 공격했다. 이리하여 기나긴 숙명의 분쟁이 시작되었다. 끝없는 공방전, 파괴당한 수많은 마을들, 그리고 무차별 테러... 유대인들은 가까스로 손에 넣은 조국을 지키기 위하여, 또 아랍인들은 침략자 유대인을 내쫓기 위하여 싸우면서 저마다 자신들의 정의를 내세웠다.

데즈카 오사무, 『아돌프에게 고한다』 (세미콜론, 2009)

공교롭게도 이 책을 읽고 있는 도중에 이스라엘은 팔레스타인 하마스 세력과 전쟁을 시작했다. 공습은 하마스에서 먼저 시작되었고 민간인을 납치, 사살하면서 SNS상에서도 크게 알려지게 되었다. 1973년 제4차 중동전쟁이 벌어진 지 정확히 50년 만에 발발한 이스라엘의 전쟁이다. 올 여름에 읽었던 책 중에 『중동, 만들어진 역사』를 읽으며 중동지역 분쟁을 액면 그대로 이해하는 것과 배후의 세력, 또 중동을 이용하고자 하는 세력과 그들의 목적에 대해서 고민해 본 적이 있다. 1, 2차 중동전쟁에서 이스라엘이 대승하고 얻어낸 골란 고원과 당시 이집트의 가자지구에 유대인들이 대거 유입되었다. 당연히 고향이자 집을 빼앗긴 팔레스타인 사람들과 아랍인들은 저항군을 조직했다. 그게 팔레스타인 해방기구(PLO)다. 아라파트 의장의 운영에 반대하는 사람들이 만든 팔레스타인 해방인민전선(PFLP), 그리고 그중에서도 강경파인 '검은 9월단'이 있다. 역사에 관심이 있거나 연배가 있으신 분들은 1972년 뮌헨 올림픽 참사로 이스라엘 선수단이 살해당하고, 텔아비브 공항에서 일본인 청년들이 소총을 난사한 사건을 기억하실 테다. 그만큼 시간도 오래되었고 분쟁의 강도도 거센 역사가 있다. 이 '검은 9월단'에 들어간 게슈타포인 카우프만이 이 책의 주인공 중 하나다.

　2차 대전의 홀로코스트와 나치 사상도 그 역사가 오래되었다. 그 사상으로 인해 만들어 낸 전쟁의 참상과 죽어간 사람들의 면면은 비극 중의 비극이다. 유대인을 죽이는 독일인을 악으로 규정하고 그들에 대항하는 자신을 선이라고 말한 카밀은 어느새 약자였던 유대인이 아니라 자신이 살던 곳을 점거하고 있는 아랍인들을 학살하는 또 다른 나치스가 되었다. 그런 카밀에 대항하는 나치스였던 카우프만...

　정의는 늘 달라진다. 생각도 늘 변한다. 그리고 상황도 역사도 모두 변한다. 유동하는 생각을 영원한 것으로 믿고 생을 바치는 우리는 모두 얼마나 어리석은가, 그럼에도 인간이라 부르는 영장일까.

테무진, 너는 고생이 정말 많았어. 그래, 여기까지 오는 동안 서로 고생이 많았지. 하지만 테무진, 고생은 우리 둘만 한 것은 아니야. 가족 모두가 고생했어. 네 동생들도 똑같이 고생을 했다. 너는 배신하는 인생을 보면서 살아왔어. 그러므로 남달리 배신에 대해 민감하다는 것은 잘 안다. 그렇지만 내 자식들은 모두 장남인 너의 명령 밑에서 움직이고 서로 도와가며 초원의 통일이라는 위업을 이룩한거야. 그런데 이제 와서 남의 말을 믿고 형제까지 의심하다니, 이 어미로서는 슬픈 일이다. 카사르는 너를 위해 열심히 일해 왔어. 그런데 높은 지위에 올랐다고 의심하다니. 카사르, 테무진은 초원의 백성들을 하나로 뭉치게 하는, 누구도 할 수 없던 일을 해냈다. 반면에 그만큼 고민도 많아졌지. 너도 형에게 의심받을 일을 하면 안 된다. 지금까지처럼 형을 도와야 한다. 테무진, 카사르. 서로 손을 잡거라. 그래, 됐어. 하늘의 부름을 받기 전에 이 모습만은 보고 싶었어. 이제 여한이 없다.(테무진의 모친 호에룬)

요코야마 미츠테루, 『칭기즈 칸』 (AK,2007)

누구나 한 번쯤 몽골을 위대하다고 생각해보지 않았을까? 로마제국보다도 더 큰 영토을 가졌고 동서양 모두를 지배했던 진정한 세계 정복자는 칭기즈 칸뿐이었던 것 같다. 그의 어록도 유명하다. "집안이 나쁘다고 탓하지 말라. 나는 아홉 살 때 아버지를 잃고 마을에서 쫓겨났다. 가난하다고 말하지 말라. 나는 들쥐를 잡아먹으며 연명했고, 목숨을 건 전쟁이 내 직업이었고 내 일이었다. 작은 나라에서 태어났다고 말하지 말라. 그림자 말고는 친구도 없고 병사로는 10만, 백성은 어린애, 노인까지 합쳐 2백만도 되지 않았다. 배운 게 없다고 힘이 없다고 탓하지 말라. 나는 내 이름도 쓸 줄 몰랐으나 남의 말에 귀 기울이면서 현명해지는 법을 배웠다. 너무 막막하다고, 그래서 포기해야겠다고 말하지 말라. 나는 목에 칼을 쓰고도 탈출했고 뺨에 화살을 맞고 죽었다 살아나기도 했다. 적은 밖에 있는 것이 아니라 내 안에 있었다. 나는 내게 거추장스러운 것은 깡그리 쓸어 버렸다. 나를 극복하는 순간 나는 '칭기즈 칸'이 되었다."는 말은 소년의 마음에 불을 당기기에 충분한 말이었다.

내가 칭기즈 칸에게서 배운 것은 동양의 고전이 그렇고 동양의 역사를 보면 알 듯 속고 속이고, 배신과 배신 또 암투와 암투를 거듭하는 인간군상의 집합이다. 그 속에서 범위를 좁혀본다. 자기 나라, 자기 부족, 자기 친족, 자기 가족... 결국 좁혀지고 자신 뿐이다. 남은 것은 타인을 믿지 않고 오로지 의지할 자신밖에 없음을 깨닫게 해주었다. 이런 사실을 두고 불편하다느니 정이 없다느니 하는 사람들은 그 옛날 초원에서 가장 먼저 시신이 되어 들짐승의 먹이가 되지 않았을까. 무대가 초원에서 도시로 바뀌었을 뿐 우리네의 사회도 똑같다. 타인에게 의지하기 때문에 혼자만의 시간, 고독을 이겨내지 못한다. 쇼펜하우어가 말한 현대인의 병폐다. 누군가가 삶을 대신 살아주길 바라서는 삶의 무게를 감당하지 못하나. 오로지 자신을 극복한 칭기즈 칸의 자세만이 참다운 인간의 모습으로 보인다.

TV나 신문에서 유명한 피아니스트가 "다시 바흐로 돌아가겠다"는 내용으로 인터뷰하는 모습을 본 적이 있을지도 몰라요. 워낙 그런 피아니스트가 많아요. 어렸을 때 멋모르고 화려한 기교를 뽐내는 데에만 매달렸다가도, 원숙한 경지에 오르면 바흐의 음악에 제대로 도전하고 싶어지는 게 음악가들에게는 자연스러운 듯합니다. 바흐를 사랑하는 피아니스트 중에서 가장 유명한 사람은 20세기의 중요한 피아니스트로 자주 언급되는 글렌 굴드일 겁니다. 굴드와 바흐의 인연은 실로 끈끈합니다. 굴드는 바흐의 작품을 녹음한 음반들로 명성을 얻었어요. 바흐의 작품 역시 굴드의 음반들을 통해 다시금 생명력을 얻었고요. 특히 1956년에 발매된 굴드의 『골드베르크 변주곡』이 누린 인기는 정말 굉장했어요. 혜성같이 나타난 이 젊은 피아니스트는 이전의 연주자들은 미처 발견하지 못했던 바흐 음악이 지닌 심오한 매력을 표현해 사람들의 마음을 사로잡았고 대중적인 '바흐 붐'을 이끌었습니다.

민은기, 『클래식 수업_바흐』(사회평론, 2020)

성인이 피아노 학원에 레슨을 받겠다고 처음 오면 대부분 지브리 스튜디오, 히사이시 조의 『Summer』 같은 곡을 들고 온다며 진저리를 치는 선생님들이 많다. 사람들이 많이 듣는 대중적인 노래, 그래서 남들 앞에서 치면 "오!" 하는 소리와 박수를 들을 요령으로 치고자 하는 태도는 아무것도 모르는 내가 봐도 꼴불견이다. 그런 태도는 초등학생에나 어울리는 것이 아닐까. 그럼에도 열에 일고여덟은 그런 사람들인가보다.

그러던 중에 처음 도레미파솔을 배우러 간 성인 남자애가 바흐를 치고 싶다고 했으니 선생님은 눈이 하트가 되셨다고 한다. 실제로 내게 바흐의 『인벤션』과 『신포니아』는 남들의 『Summer』와 같은 수준의 열망이거나 오히려 더 큰 목표였다. 덕분에 8개월이 넘는 지금까지도 대중적인 노래를 연습하지 않고 바이엘과 체르니를 공부하고 있다. 그럼에도 나는 충분한 행복감을 느끼고 있다.

"음악 뭐 좋아해?", "어떤 가수 좋아해?"라는 질문에 질문자가 불편하지 않고 당황하지 않게끔 준비된 답변이 있고 속마음의 진짜 답변이 따로 준비되어 있다. 부드럽게 대화를 이어나가고 적당한 선에서 매듭을 짓기 위해 '가요나 영화음악, 김범수나 한스 짐머'정도로 대답하면 대중적이면서도 적당한 취향을 가진 사람으로 취급받는다. 그러나 언제나 말하지 않은 나만의 슈퍼스타는 '요한 세바스찬 바흐'다. 여러분에게도 지면을 빌어 바흐의 사랑스러운 작품을 몇 개 소개해드린다. 바흐의 작품은 바흐 사후 'BWV+숫자'라는 형식으로 목록화되어 있다.교회 칸타타 중에서는 BWV4 『그리스도는 죽음의 포로가 되어』, BWV80 『우리의 하나님은 견고한 성이시도다』. 오라토리오는 BWV244 『마태 수난곡』. 오르간 음악은 BWV582 『파사칼리아와 푸가 C단조』. 건반악기 음악은 BWV772-786 『인벤션』, BWV787-801 『신포니아』, BWV988 『골드베르크 변주곡』이 있다.

"이론을 평가할 때 나는 스스로에게, 내가 만약 신이라면 그런 식으로 우주를 꾸미겠는지를 먼저 물어봅니다. 그리고 나는 우주가 작동하는 방식을 지배하는 우아한 법칙은 신의 신성한 설계를 반영하고 있다고 믿습니다. 물리학의 궁극적인 목표는 원인과 결과를 엄격하게 결정해 주는 법칙을 발견하는 것입니다. 따라서 몇 가지 일을 완전히 우연에 맡겨 버리는 것처럼 보이는 양자론의 불확정성에 결코 동의할 수 없습니다."(아인슈타인)

"원자수준의 미시세계에서는 확실성과 엄격한 인과성이 존재하지 않습니다. 물질의 행동은 자연 법칙에 따라 완전히 결정되어 있는 것이 아니라 확률적으로만 결정되는 것입니다. 양자역학에서의 이러한 일반 상식의 붕괴는 아인슈타인 박사님이 상대성이론을 개발하면서 당시의 시공간에 대한 일반 상식을 무너뜨린 것과 같은 방식입니다."(닐스 보어)

송은영, 『양자역학과 현대과학』 (주니어김영사, 2018)

고전 과학은 뉴턴의 법칙대로 역학적 움직임을 수식화한다. 공을 머리 위로 던지면 어디쯤부터 느려져 멈추고 다시 가속해서 어디에 떨어질지를 예측한다. 고전 과학은 방향과 힘을 알면 과거를 알아내고 미래를 예측할 수 있다. 아인슈타인은 특수상대성 이론을 통해 시간과 공간이 관측자에 따라 상대적임을 증명했다. 빠른 속도로 이동하는 사람이 느끼는 시간은 그 사람을 관찰하는 사람이 볼 때 매우 느리게 흘러간다. 그렇다고 해서 뉴턴의 고전 역학이 틀린 것은 전혀 아니다. 여전히 뉴턴의 법칙은 잘만 사용되고 오늘도 우리는 그 법칙 속에서 평범한 하루를 누린다. 또 반대로 아인슈타인의 상대성 이론이 우주적 시공간 단위나 빛의 속도 단위에서만 적용된다고 오해해선 안된다. 뉴턴의 고전 역학은 우리의 일상 생활 수준에서 뚜렷하게 작동하지만 상대성 이론도 엄연히 작동하고 있다. 일반상대성 이론에 따르면 중력이 강한 곳에서는 시간이 느리게 흐른다. 우리가 지면에 서있을 때 머리보다 발끝이 지구 중심에 더 가깝다. 즉 발끝이 머리끝보다 중력이 더 강하다. 과학자들은 실제로 아주 미세하게 발끝에서 시간이 더 느리게 흐른다는 것을 측정해냈다. 우리가 느끼지 못할 뿐 세상의 원리는 계속해서 작동하고 있다. 내가 알지 못한다고 없는 것은 아니다. 양자역학을 통해 단순한 과학적 사실과 원리를 배운 것 이상을 알게 된다. 아인슈타인은 솔베이 회의에서 닐스 보어에게 유명한 말을 한다. "신은 결코 주사위 놀이를 하지 않는다네(God does not play dice)." 그러나 닐스 보어의 대답은 잘 알려져 있지 않다. 나는 그 말에 더욱 큰 울림을 받는다. "선생님, 신에게 뭘 할지를 명령하지 마세요(Einstein, Stop telling God what to do)."

지구의 세계가 아니라 우주의 세계(cosmos)에서는 내가 아는 것이 하나도 아는 것이 아니었음을 가르쳐주는 겸손의 장이다. 이 우주에서 생명을 가지고 태어나 우주를 인지하는 것도 때로는 기쁨에 가득 찰 때가 있다.

세상에는 많은 책이 있지만 독서 중독자라 해도 평생 읽을 수 있는 책은 소수일 뿐이다. 결국 살면서 읽지 않은 책에 대해 말하게 되는 일이 많은데, 독서 중독자들은 남아도는 독서력으로 그럭저럭, 아니 심도 있는 수준까지 대화가 가능하다.

이창현, 『익명의 독서 중독자들』 (사계절,2023)

아이돌 팬덤들은 자기들의 커뮤니티에서 입덕한 아이돌의 직캠과 굿즈, 팬싸인회부터 온갖 스케줄까지 서로 공유하며 하나의 놀이터를 형성한다. 마라톤과 달리기를 하는 사람들은 러닝 크루를 만들 듯 온갖 동호회가 활성화 되고 있다.

독서를 좋아하는 사람들은? 글쎄, 독서모임... 정도일까. 갑자기 독서모임이라고 하는 순간부터 분위기가 정적으로 변한다. 불던 바람도 멈추고 기온도 내려가는 듯 하다. 독서모임이 다 그런게 아니라고 변명하려 해도 큰 설득력이 없어보인다. 왜냐하면 독서는 그 자체로 내밀한 시간과 공간을 헌납하는 동시에 견뎌내는 한편 은밀하게 즐기는 고독이기 때문이다. 이게 독서의 본질이다. 독서는 누군가에게 보여주려고 들려주려고 하는 행위가 아니라 일기와 같이 처음부터 오로지 나만을 위해 하는 행위에 지나지 않는다.

그래도 이 책을 읽을 때면 나처럼 숨어서 책을 끼고 사는 사람들이 곳곳에 숨 쉬며 존재한다는 사실을 알게 되어 기쁘다. 우리 같은 사람들은 애초에 유튜브던 인스타그램이던 대개 출몰하지 않는다. 책을 읽는다고 전시하는 것 자체가 책을 안 읽는 사람의 증명이기 때문이다. 매번 읽은 책을 찍고 자신의 독후감을 아카이브 하듯 게시물을 올리는 정도라면 곱진 않지만 그러려니 하는 시선으로 쳐다봐 줄 수 있다. 그러나 책을 샀다며 인스타그램 스토리에 올리는 행위, 한 번에 많은 책을 사는 행위, 유명 베스트셀러를 모아 사는 행위 등은 용서받을 수 없다. 적어도 독서 중독자 사회에서는 그렇다.

국제도서전에 가면 그렇게 붐벼대는 사람들을 보고 놀라곤 한다. '이 사람들이 다 독서중독자일 리가 없는데... 그렇다면 이렇게 삼삼오오 나와서 돌아다닐 시간이 없다. 도서전은 핑계이고 그저 박람회를 보러온 구경꾼들인가? 아니면 저 사람은 꾹 참고 속으로 빨리 집에가서 책 읽어야지 하고 있는 사람인 걸까?' 이게 독서 중독자의 평범한 생각이다. 평범하기는 이미 그른 것 같다.

몇 번의 물이 더 마르고 또 차올라야 내가 다시 이곳에 올 수 있을까. 가파도에서의 생활이 나에게 자유와 휴식의 동의어가 되어주지는 못했다. 그러나 세상 어딘가에 이런 형태의 삶이 존재한다는 것을 알게 해주었다는 것만으로도 충분했다. 이제 가파도를 떠나야 하지만, 때때로 숨이 막히게 힘든일을 마주할 때마다 소란하고도 고독한 이 공간을 떠올리는 것만으로도 숨통이 트일 것 같았다. 아주 오랫동안, 어쩌면 죽을 때까지 나는 이곳을 그리워할지도 모르겠다는 생각을 했다.

박상영, 『순도 100퍼센트의 휴식』(인플루엔셜, 2023)

올해 여름엔 어딘가로 놀러 가지 않았다. 휴가 기간에 매년 연례 행사처럼 내려가던 제주에도 가지 않았고 강릉 바다에도 가지 않고 보냈다. 분명 제주에 내려갔다면 여느 때와 같이 그것 나름대로 재미가 있었겠지만, 글쎄 올해는 그냥 그럴 마음이 없었다. 그저 해가 쨍쨍한 날에 한강 수영장에서 얼음물을 떠놓고 자리에 앉아 흘러가는 구름을 쳐다보며 이 책을 읽었다. 박상영 작가의 글은 역시다. 지루한 에세이 형식에서 지루할 틈을 주지 않는 글쓰기라니.

아마도 나는 휴식을 제대로 취할 줄 모르는 타입 같다. 소위 MBTI의 J타입들이 그러하듯이 휴가의 매 일을 시간 단위 아니, 분 단위로 쪼개 방학계획표처럼 만들어 휴식을 취하는 시간도 정해서 '이 때 휴식해야 한다!'라고 해놓고 이른바 '휴가'를 보내다니. 메모를 하는 것을 잊지 않기 위해 메모하는 것과 다를 바가 없다.(실제로 J들은 메모를 일정에 메모한다) 아마 그런 여행과 무늬만 휴가에 지친 것은 아닐까 생각해본다. 단 하루와 한 순간도 그냥 구름과 물이 흘러가듯 둘 수 없는 게 현대사회다. 모든 건 경험이고 시간이고 돈이니까. 그리고 현대사회의 교조적 가르침에 경도된 나는 자본주의적 도그마에 따르지 않을 수 없었다. 그게 우리가 어려서부터 공교육과 대학교육과 일상에서 배워 습득해 온 가르침 아니겠는가. 특히 한국인들에게.

어쩌면 가만히 있는 법을 배워야 할 때가 온 것 아닌가 생각한다. 화초에 물을 주고 흙을 가는 일, 그리고 의자에 앉아 화초와 하늘을 번갈아 쳐다보며 그저 앉아있는 일. 누군가로부터 목소리가 들려오듯 그것이 새로운 가르침으로 다가온다. 인생이 짧다고 해서 세상에서 할 수 있는 모든 일을 다 해보려고 하고 안 가본 곳이 없도록 돌아다니고 최대한 많이 소비하고 다시 최대한 많이 구입하고 소유하고 그리고 모든 일은 망각되니 다시 그 일을 반복하고. 아마 마지막 순간에 세상을 많이 겪어서 행복했다라고 말하는 것보다 많이 고단했다고 말하지 않을까. 나는 첫 휴식을 배워가고 있다.

에스컬레이터에서 비로소 뭔가 잘못돼가고 있음을, 자신이 무서운 곳으로 향하고 있음을 깨달은 아이가 발버둥치며 내 손을 벗어나려 했다. 나는 아이를 안아올렸다. 아이가 시끄럽게 비명을 질렀고, 나는 옵터의 채도를 법으로 허용된 최대치까지 올렸다. 그러자 아이의 발작도 그냥 귀여운 칭얼거림 수준으로 들리게 되었다. "안녕히 가세요!" 게이트가 밝고 씩씩한 소년의 목소리로 내게 인사했다. 나는 맑은 물웅덩이들이 있는 연륙교에 발을 디뎠다. 고개를 드니 푸른 밤하늘에 별이 가득했고, 수평선 부근에서 유성우가 떨어지고 있었다. 돌고래들이 내 발부근에서 수면 위로 솟구치며 헤엄쳤다. 뛰어오른 돌고래가 바다로 들어갈 때 물보라가 일고 철썩철썩하는 소리도 났지만 내게 바닷물은 한 방울도 튀지 않았다. 해변에서는 사람들이 박수를 치며 우리를 맞았다. 그 위로 불꽃놀이가 펼쳐졌다. 그러나 화약 냄새는 나지 않았다.

장강명, 『당신이 보고 싶어하는 세상』 (문학동네,2023)

어렸을 때 경험했던 많은 영역들이 성인이 되어서 재발견되는 경우가 있다. 아날로그를 경험하고 디지털로 넘어온 나의 세대가 더욱 그러하지 않을까 싶다. 독서의 장르에서 최근 신선하게 다시금 입문한 영역이 있다면 단연 SF(Science Fictiom)이다. SF 독서에 불을 당긴 첫 성화주자는 장강명 작가의 『당신이 보고 싶어하는 세상』 이다. 이 책 이전에도 칼 세이건의 『에덴의 용』 이나 『콘택트』 를 먼저 읽을 기회가 있었지만(읽었다는 게 아니다) 거물급 작가인 칼 세이건의 작품이기에 무게감이 느껴져 손이 가지 않았다. 알다시피 이런 책들은 상당한 에너지와 정신력을 쏟아야 명작을 읽고도 읽었다는 성취감이 생기기 때문이다. 그런데 어떻게 우연히 이 책이 손에 들어왔는지는 의문이다. 그래서 가끔은 내가 읽어야 할 책은 그 때 그 때 시대가 내 손에 쥐어 준다는 생각을 한다. 그리고 언제나 쥐어 준 책을 힘주어 잡는 나 역시 준비되어 있어야 한다는 마음을 갖게 된다.

SF를 읽다보면 나 자신에게 미안함과 안타까움을 느끼게 된다. 무슨 뚱딴지 같은 말일까. 어렸을 적에는 목적지가 없이 정처 없이 돌아다녔다. 거칠게 표현하면 싸돌아다닌 것이고 한자어로 표현하면 소요 逍遙한 것이다. 그렇게 목적 없이 떠돌았기에 동네에 구석구석에 무엇이 있었는지 알 수 있었고 다양한 사람들과 인사하며 알게 되었고 다른 사람은 모르는 나만의 비밀 장소를 발견하기도 했다. 이웃 아파트 단지 어느 동의 담벼락 뒷 공간에 가면 작은 새끼 오리 한 마리가 묶여있었다. 그런 것 하나하나가 소년의 세계에선 모험이었고 여정이었다. 마치 내가 일리아드나 오뒷세우스가 된 것 같았다. 지금은 늘 목적이 없으면 아무 행동도 하지 않는다. 쉬면 쉬는 목적, 걸을 때도 늘 목적지에 가서 무얼 할지 정해놓고 간다. SF는 그런 내게 마음대로 상상해도 되는 어린 시절의 자유를 일깨워준다. 과학은 상상을 먹고 자란다. 그리고 실제로 그 어린 날의 상상은 대부분 현실이 되었다. 나는 SF로 돌아간다. 어린 시절의 자유를 살리기 위해서.

Y처럼 담대하게 거짓 인생을 살 수 있었더라면, 그 것짓으로 말미암아 스스로까지 속일 수 있었다면 차라리 나았을 텐데. 나는 나를 속이는 데도 너무 소질이 없었다. 아니면 차라리 한영처럼, 어머니처럼 자신이 믿는 것을 향해 쉼없이 달려갔더라면, 그랬다면 뭔가 달라지지 않았을까. 남준과 키스를 하는 순간 내 모든 것들이 또 한번 어그러지고 변해버리기 시작했다는 것을 알면서도 나는, 끝끝내 순간의 감정조차 긍정하지 못한 채 그저 가만히, 이대로 시간이 흘러가버리기를 바랄 뿐이었다. 그날 밤, 나는 마지막으로 가게의 셔터를 내리고, 지금까지 감사했습니다, 로 시작하는 폐업 안내문을 붙였다. 눈도 뜰 수 없을 만큼 많은 눈이 내리고 있었다. 소복이 쌓인 눈을 밟으며 이태원 사거리에서 집까지 걸어왔을 땐 운동화가 딱딱하게 얼어 있었다. 조금 울었으면 좋겠다는 생각을 했지만 눈물은 나지 않았다. 그게 나였다.

박상영, 『믿음에 대하여』 (문학동네, 2022)

서재에 꽂힌 책들을 들여다본다. 근래에 부쩍 많아진 과학 서적은 증식을 하는 건지 처음에는 책장의 한 층을 채우기도 부족했는데 어느새 책장 하나의 3개의 층을 가득 채웠다. 책을 모은 속도는 30대에 가장 빨랐지만 20대의 십여 년의 세월동안 모아온 역사와 철학, 신학 책은 책장 서너 개를 가득 채웠다. 그런데 애서가의 책장이라면 응당 가득 차 있어야 할 장르 하나가 매우 부족하다. 바로 문학이다. 돌이켜 보면 나는 문학 소년은 아니었다. 어렸을 때도 비문학이나 교육용 책을 많이 봤다. 새로운 정보, 지식, 몰랐던 사실을 아는 게 제일 호기심 넘치던 시절에 사랑했던 일이었나보다.

그렇다고 해서 문학을 아예 읽지 않은 건 아니다. 세계적 명작으로 손꼽히는 문학은 꼭 보고자 했다. 마르셀 프루스트의 『잃어버린 시간을 찾아서』, 도스토예프스키의 『악령』, 『카라마조프가의 형제들』, 톨스토이의 『이반 일리치의 죽음』 등은 소설의 짧고 긴 분량과 완독과 미완독을 떠나 어떻게든 읽었다. 문학을 원체 읽지 않으니 엄선된 작품을 읽어 시간을 낭비하지 않겠다는 심산이었다. 그건 문학을 읽는 자세도, 애서가의 자세도 아니라고 책망할지도 모르지만 읽을 책은 많고 인생은 한정되어 있으니 어쩔 수 없는 선택이다.

그러나 박상영 작가가 내게 휴식의 참 의미를 환기해 줬듯 그의 소설 또한 나를 따뜻하게 문학의 온탕에 들어오도록 초대해줬다. 그 덕분에 정보라, 정세랑, 장강명 등 소설계의 스타들의 작품을 즐거운 마음으로 읽을 수 있었다. 박상영 작가의 글은 기본적으로 연애소설이다. 장르의 흥미를 떠나서 그의 글은 심히 매혹적이다. 한가하던 토요일 오전에 읽기 시작한 그의 책을 석양이 질 때도 멈추지 못했다. 결국 밤 10시가 되어서야 그의 책을 덮고 나왔다. 책상엔 그의 소설 3부작이 모두 놓여 있었다. 1998년에 부모님이 사다 주신 『해리포터 시리즈』 이후에 이런 경험은 정말 오랜만이었다. 소설을 덮고 밤하늘을 보며 눈물을 글썽이다니. 나도 문학소년, 해봐도 될까?

그제야 나는 나 자신이 윤도에게는 그저 수많은 비밀 중 하나일 수도 있다는 사실을 깨닫게 되었다. 내 앞에서만 보여준다고 믿었던 윤도의 모습이 실은 그를 구성하는 수없이 많은 조각들 중 하나에 불과할 수도 있다는 사실도.

박상영, 『1차원이 되고 싶어』(문학동네, 2021)

야생의 초식동물들은 사자와 같은 포식자를 피하기 위해 군집 생활을 한다. 혼자 있으면 타겟이 되기 쉽지만 무리지어 있으면 사자가 무리에 치일까 쉽게 건드릴 수 없기 때문이다. 무엇보다 다수 속에 숨어있으면 자신이 타겟이 될 확률이 적어지기 때문이다. 타겟이 되는 개체는 안타깝지만 운이 나쁜 날을 맞이한 것이다. 그러나 단순히 그것이 운일까. 집단은 희생양을 만들어내어 한 마리를 빨리 포식자에게 주고나서 다수의 개체가 도망치는 게 생존확률을 높일 수 있다고 판단한다. 그래서 무리에서 가장 약하고 보잘 것 없어 자신들이 내치더라도 저항할 힘도 없는 개체를 밀어낸다. 포식자가 사냥하기도 전에 집단 내부에서 사냥을 하여 내친다. 야생의 비정함이라고 하기엔 우리도 똑같은 야생에서 살고 있다.

　중고등학교는 야생과 가장 밀접한 유사성을 가진다. 성인들의 사회도 마찬가지지만 여기엔 체면과 명분이 있다. 그러나 원초적인 본능이 살아 숨 쉬고 야생의 호르몬이 넘치는 중고등학교는 그렇지 않다. 소위 오타쿠라 불리는 B급 문화 마니아, 과하게 체중이 나가거나 덜 가는 친구, 공부나 운동을 못하는 친구, 장애를 가진 친구 등이 그 표적이다. 악인으로 태어나 악인으로 살아가는 사람도 있다. 그들에게는 공감능력이 없지만 다수의 평범한 학우들도 이런 선택과 집중에 의한 차별이 그른 일이란 걸 안다. 알면서도 자신이 희생양이 되기 싫기 때문에 방조하고 질서를 유지하는데 일조한다. 내게도 그런 친구가 있었다. 취미도 같았고 말도 잘 통해서 같이 하교하던 친구였다. 나는 눈치껏 포식자들의 눈에 거슬리지 않게 행동했지만 그 친구는 눈치가 부족했던 모양이다. 이내 타겟이 된 친구와 같이 하교하지 않고 내친 내 행동 앞에 나를 처연히 쳐다보고 혼자 걸어가던 친구의 모습이 잊혀지지 않는다. 작품의 '나'와 '윤도' 그리고 '태리'와 '희영'. 눈물을 조금 흘렸다. 앞으로도 내가 늙어서도 잊혀 지지 않을 친구의 그 눈빛에 언젠가 사죄하고 싶다.

우리나라 미술이 지향했던 구체적인 미적 목표가 무엇이었냐는 물음에 내가 가장 먼저 제시하는 대답은 '검이불루 화이불치儉而不陋 華而不侈' 여덟 글자다. 김부식의 [삼국사기]백제 온조왕 15년(기원전4)조에 다음과 같은 기사가 나온다. '새로 궁궐을 지었는데 新作宮室 검소하지만 누추해 보이지 않았고 儉而不陋 화려하지만 사치스러워 보이지 않았다. 華而不侈

유홍준, 『국보순례』(눌와,2011)

이화여대 최재천 교수의 말이 떠오른다. "알면 사랑한다." 전통문화와 문화재를 사랑하게 되기 전에 알게 되는 과정이 필요하다. 나는 국사가 좋았다. 지금은 한국사라고 부르지만 우리 때는 국사였다. 국사는 정치, 경제, 사회, 문화 파트로 나누어져 고대, 중세, 근세, 근대마다 4개의 파트가 들어가 있었다. 즉 고대의 문화를 배우고 중세의 문화를 배우려면 중세의 정치, 경제, 사회 파트를 다 공부해야만 비로소 문화를 공부할 수 있었다. 다른 파트에 비해 부드러운 마음으로 문화유산을 감상하며 공부할 수 있어서 좋았다.

세계의 찬란한 문명에 비추어 볼 때 우리의 역사가 모자란 구석은 없다. 그러나 근세와 근대 태동기 조선 정치사에 있어 세계에 부끄럽고 자랑하기 어려운 점은 사실이다. 우리를 침략했던 민족의 원수인 일본도 미국과 같은 외세의 힘을 보고 개혁을 단행해 메이지 유신으로 근대 세계로 나아갔다. 우리는 앞서나갔던 청나라에 대해서도 배우지 않았고 일본에 대해서도 배우지 않았다. 정치는 세도가의 이익만을 위해 대원군과 민왕후 역시 자신들의 이익을 위해 움직였다. 일제는 트리거 포인트였을 뿐 화약은 우리가 모아둔 일일지 모른다. 그러나 민족의 혼이 담긴 문화유산은 그런 부끄러움과 차원을 달리한다.

세계에서 1등은 아닐지라도 내 것을 사랑할 수 있고 당당할 수 있게 만드는 것은 문화의 힘이다. 김구 선생께서 '가지고 싶은 것은 오로지 높은 문화의 힘'이라고 하신 말에 아주 깊이 동의 한다. 문화의 힘이 높으면 정치로 해결하지 못하는 일을 해결할 수도 있고 무력으로 해결하지 못하는 사람의 마음을 움직일 수도 있다. 내가 믿기로는 문화에는 평화가 깃들어 있기 때문이다. 문화에는 인내가 들어있다. 장인들의 땀과 눈물과 시간이 녹아 있고 그것은 대를 이어 민족의 인내가 담겨있다고 믿는다. 사랑스러운 국보와 보물을 늘 곁에 두고 보고 싶어하는 마음에도 욕심이 아닌 평화가 깃들어 있다.

이제 후회는 없습니다. 인피니티호의 시계로는 불과 몇 달밖에 살지 못했지만 우주가 끝날 때까지 살아남았고, 대부분의 사람보다 짧은 수명을 부여받았지만 그 누구보다 수명이 길었으며, 비록 자손을 남기지 못했지만 다른 누구의 자손보다도 오래도록 생존했습니다. 그리고 마침내 우주 모든 것의 끝을 보는 행복을 누렸습니다. (...) 안녕, 나의 우주. 나는 곧 사건의 지평선에 도달합니다. 거기에 닿으면 무슨 일이 일어날까요? 그건 아무도 모릅니다. 사건의 지평선 너머 무한대의 저편에 무엇이 기다리고 있을지 그 누가 알 수 있겠습니까.

김달영, 『스스로 블랙홀에 뛰어든 사나이』
(이지북,2023)

아인슈타인의 상대성이론은 나 같은 초심자가 이해할 때 다음의 두 가지로 간략하게 볼 수 있다. 두 가지 상대성 이론 중에 먼저 발표된 것은 '특수 상대성 이론'이다. 이건 빛의 속도, 광속에 관한 이론이다. 광속불변에 법칙에 근거해 광속으로 이동하는 물체의 시간은 관찰자가 볼 때 느리게 흐른다는 뜻이다. 관찰자에게도 시간은 1초,2초,3초... 동일한 속도로 흐르고 광속으로 이동하는 물체도 1초,2초,3초... 동일하게 흐른다. 이것은 각자 자신들이 느끼는 주관적 시간일 뿐이다. 실제로 광속으로 이동하는 물체가 자신의 시간을 정상적인 속도로 인식할 때 물체가 바라보는 관찰자들의 속도는 엄청난 속도로 빠르게 흘러가고 있다. 반대로 관찰자의 입장에서 물체는 엄청난 속도로 느리게 흘러가고 있다.

두 번째로 발표된 이론이 '일반 상대성 이론'이다. 여기선 빛의 속도 대신 중력이 들어온다고 생각하면 된다. 다만 빛의 속도란 우리 우주가 허락한 최고 속력인만큼 중력도 우리가 느끼는 보통의 중력이 아니라 블랙홀과 같은 무한에 가까운 중력을 말한다. 블랙홀은 크기가 붕괴하여 0이 되고 질량만 남아있는 특이점이다. 그 질량은 무한대다. 질량이 많은 곳에는 엄청난 중력이 작용한다. 블랙홀의 중심인 특이점에서 사건도 시간도 빛도 정보도 나올 수 없어 우리가 알 수 있는 것은 전무하다. 그런데 작가의 상상력이 너무나 재밌다. 그 무한한 중력의 가운데로 들어갈수록 외부의 세계는 압도적으로 빠르게 흘러가 마치 비디오를 빨리감기 하듯 관찰할 수 있다. 질량이 무한대인 곳에 가까워질수록 나의 시간은 무한하게 느리게, 외부세계의 시간은 무한하게 빠르게 흐르게 된다. 그럼 세계의 끝, 우주의 종말도 볼 수 있지 않을까 하는 생각이 작가의 SF적 아이디어다. 단순해보이지만 이런 흥미진진한 생각이 SF의 맛이구나라는 걸 알아버렸다. 그럼 혹시 블랙홀은, 인격체는 아니지만 이미 우주의 종말을 알고 있겠구나. 끝을 아는 곳이 있긴 있다는 점, 흥미롭지 않은가?

주 게이트는 사자의 문이다. 그런데 오리엔트에는 원래 사자가 살지 않는다. 그럼 사자가 어디에서 왔을까? 이집트 스핑크스의 영향이다. 사자를 닮은 이집트 스핑크스상이 오리엔트로 건너오면서 오리엔트 사자는 훨씬 동양적이고 해학적인 모습을 띠게 된다. 한국 전통문화 속 사자의 모습과 비교하면 더욱 재미있다. 결국 이집트와 아프리카에서 출발한 사자가 오리엔트와 실크로드를 거치면서 사자춤이 만들어지고, 이게 한국까지 전래되어 북청사자놀이 같은 민속놀이가 된 것이다. 사자를 구경한 적도 없는데 어떻게 사자춤이 우리의 민속놀이가 되었을까 하는 질문의 답이다. 문화는 이처럼 놀랍도록 빠르게 전파되면서 영향을 주고받고, 다른 문화를 받아들여 자기화한다. 이를 '문화접변'이라 한다. 문화가 통섭되면서 자기화하는 과정을 살펴보는 것이 문화 공부의 또 다른 재미다.

이희수, 『인류본사』 (휴머니스트, 2022)

나는 역사를 공부하는 일을 좋아한다. 세계사와 한국사를 모두 좋아한다. 그러나 생계와 실생활에서 쓰이는 정보가 아닌 이상 뇌는 중요하지 않은 정보는 금방 잊도록 설계되어 있다. 지적 유희를 위한 정보, 문화 자본도 생존에 필요하다곤 하지만 영향이 미미한 정보는 모두 뇌 속 어딘가에 잠들게 된다. 잊은 건 아니지만 바로바로 꺼내 쓸 수가 없다는 뜻이다. 갖은 애를 써봤다. 일년에 한 번씩 한국사와 세계사를 수험생처럼 개념 공부를 해 한국사능력검정시험을 보고 6월 평가원이나 수능을 보기도 했다. 이제 역사적 사실이 술술 나오느냐고 묻는다면 정치인들처럼 씨익 웃고 그저 지나갈 뿐이다.

그러나 역사 공부를 소홀히 할 마음은 없다. 왜냐하면 재미있기 때문이다. 특히 세계사는 그 방대한 양과 다양한 문명에 대해 공부하기 때문에 알아도 알아도 모르는 것이 나오고 놀랍도록 신기한 정보가 나오는 텃밭이라 흥미가 끊이지 않는다. 아쉬운 점은 공교육 하에서 배운 역사가 서구의 관점으로 정리된 역사란 점이다. 그 교육에 익숙해졌고 서양의 관점으로 세계를 이해하는 일이 고착화 되다보니 중동과 아랍문명, 아프리카나 동아시아 문명 등 그들의 메인스트림에서 벗어난 역사는 역사로 대우하지 못했다. 동아시아인으로서 치욕적인 일이라고 생각했다.

문명은 배울수록 어디 하늘에서 하루 아침에 뚝 떨어져 생긴 게 아님을 실감한다. 4대 문명의 발상지라고 불리는 황허, 메소포타미아, 인더스, 이집트의 역사 이전에도 역사는 존재했다. 괴베클리 테베, 차탈회위크, 아카드, 바빌로니아, 트로이, 히타이트, 페니키아. 프리기아, 헤브라이, 우라르투, 신바빌로니아, 리디아, 메디아, 아케메네스 페르시아, 파르티아 등 모든 문명은 하나가 생겼기 때문에 옆의 문명이 생겼고 그 둘의 교류 속에서 역사의 수면 아래로 내려가고 올라가는 '운동'이 존재했다. 서구인이 아니라 동양인, 아니 지구의 세계시민으로 역사를 바로 볼 수 있는 태도가 생겨서 뿌듯하기 그지없다.

1950년 전남 신안군의 작은 섬 낙도에는 글을 읽고 쓸 줄 아는 사람이 거의 없었다. 가난한 사람들이 산에서 나무를 하다가 들키면 벌금을 물렸는데 아무리 사정을 말해도 돌아오는 대답은 같았다. "그건 당신 사정이고!" 그런데 말을 못한다고 해서 하고 싶은 말이 없는 건 아니다. (...) 고 황현산 선생은 번역가이자 평론가로서 '사람들 저마다의 사정'을 품고 있는 시의 사소함에 대해 이야기했다. 그는 사람들의 사소한 사정들이 실상은 연결되어 있고, 그 사정 이야기를 들어줄 사람이 어딘가에는 분명히 있을 거라고 믿게 되는 것이 바로 '변화'라고 말했다. 세상에는 훌륭한 이론들이 있지만 거기에 힘없는 사람들의 속사정을 대변해줄 말은 없다. 하지만 문학은 힘없는 사람의 입을 대변할 수 있다. 글을 쓴다는 것은 사소한 것들이 지닌 독창성을 발견하고 확장시키는 과정이다. 그렇게 우리는 나와 타인 그리고 세상에 대한 관심과 애정이 깊어진다.

EBS지식채널e, 『생각의 힘』(EBS북스, 2021)

고 황현산 선생의 책은 유명하다. 『밤이 선생이다』는 그의 유명한 글이다. 알라딘 같은 중고서점 매장에 가면 에세이 칸에 그의 책이 꼭 꽂혀있다. 가치가 없어서 중고로 나온 게 아니라 너무나 많은 사람들이 사서 읽었기 때문에 나온 것이다. 그러나 나는 그의 책을 읽지 못하고 있다. 좋은 책임이 분명하기에 함부로 읽고 싶지 않기 때문이다. 생각이 더 깊어지고 사유가 더 진중해졌을 때, 깨달음이 누적되고 누적되어 지층을 이루어 비로소 하나의 단층을 사람들 앞에 내비출 수 있는 든든하고 단단한 땅이 되었을 때 달콤한 선생의 사유를 읽고 싶었다. 그의 말 중에 이런 말이 있었다.

 "왜 평생 읽고 쓰십니까?" 인터뷰 기자의 물음에 선생은 대답한다. "사람이니까요." 『밤이 선생이다』 발간을 기념하는 자리에서 나온 질문과 답이라고 한다. 그리고 '언제나 끝까지 잊어버리지 않는 것은 글 쓰는 사람들이고, 사실은 잊어버리지 않는 사람만 글 쓰는 사람이 된다.'는 오랜 믿음이 담겨있다고 책은 말한다.

 조지 오웰의 『나는 왜 쓰는가』를 읽었을 때도 고민했다. 나는 글을 왜 쓰는가. 오웰에게는 글쓰기는 정치적 행위이기도 했다. 황현산 선생에게는 힘없는 사람들을 잊지 않는 행위였던 것 같다. 나는 그 앞에 부끄럽게도 나 자신이 되고자 글을 쓰고 있다. 즉 타인과 세계를 위하여 쓰지 않고 나 자신을 위해 쓰고 있는 셈이다. 영화 『매트릭스』처럼 자신이 실제 세계의 '내'가 있는 것과 가짜 세계의 '내'가 있는 것을 구별하고 있지 않으면 위기는 심각한 상태에 이른다. 등장인물 사이퍼처럼, 이게 가짜라는 걸 알면서도 그 쾌락과 윤락을 받아들이고 안주하는 것. 그것을 막기 위한 '빨간 알약'이 내게 있어 글쓰기다. 글을 쓰는 동안은 정직과 거짓의 혈투가 벌어진다. 정직이 이기지만 일부 전투에선 거짓이 승리를 거두기도 한다. 하지만 정직의 크고 작은 승리가 쌓이면 이 전쟁이 끝나는 날 승리의 역사로 기록된다. 내 작은 글쓰기도 황현산 선생처럼 큰 글쓰기가 되고 싶다.

단순한 형태에서 복잡한 형태로의 진화는 필연일까? 글쎄, 지금도 지구 생명체 가운데 최고 성공한 집단은 단순한 미생물이다. 지구 대기권을 포함한 지표면과 바다에서 무작위로 사방 2미터 크기의 정육면체 공간을 잡아 그 안에 무엇이 있는지 살펴보라. 인간이나 동물이 있을 가능성은 거의 없으나 미생물은 무조건 있을 것이다. 산소 호흡은 진화의 필연적 결과일까? 산소 호흡은 에너지를 얻는 유일한 방법이 아니다. 우리가 산소 호흡을 하는 것은 주변에 산소가 충분히 많기 때문이다. 산소는 반응성이 강한 기체라 대기 중에 풍부하게 존재하기 어렵다. 지구상 산소는 시아노박테리아가 광합성을 통해 수십억 년 동안 축적해온 것이다. 지금도 산소를 사용하지 않는 에너지 합성은 흔한 일이다. 심지어 인간의 세포도 산소가 충분히 공급되지 못하면 무산소 호흡을 한다. 생명의 진화에서 산소 호흡을 당연하다고 볼 근거는 없다.

김상욱, 『하늘과 바람과 별과 인간』 (바다출판사, 2023)

작년과 올해를 통틀어 2년이라는 짧은 시간 동안 여러 과학책을 탐독하는 시간을 가졌다. 물리와 화학, 생물과 지구과학을 배운 것은 2006년이 마지막이었고 문과 출신으로 더 이상 배운 것이 없었다. 공교육의 구조적 문제였지만 성인 이후에도 스스로라도 그것이 부끄러운 줄 모르고 학문을 편식해 온 지난 20대는 분명 반성할만 하다. 청소년에서 청년으로 새 출발을 한답시고 인문 소양을 갖추어야 한다며 역사와 철학을 공부한 것은 문반으로서 어쩔 수 없는 귀결일 수 있었다. 그러나 그 과정에서 나는 고집스런 신념과 아집과 편견을 배웠고 마음에는 오만이 쌓여갔다. 오만은 청년만이 가질 수 있는 특권이라고 하나 그것은 오만을 깨달은 자에게 타인이 해줄 수 있는 위로의 말 그 이상도 이하도 아니었다.

그러나 내가 과학에서 배운 것은 오로지 겸허와 겸손이었다. 작게는 과학을 공부하는 사람의 태도와 자세였고 크게는 우주 앞에 선 인간과 생명의 나약하면서도 소중한 가치였다. 과학을 통해 내 안에서 새로운 창발이 일어난 것을 느꼈다. 김상욱 저자의 말대로 'ㅅ'과 'ㅏ', 'ㄹ'와 'ㅏ'와 'ㅇ'이라는 원자가 합쳐져 '사랑'이라는 원자가 만들어질 수는 있다. 그러나 'ㅅ'과 'ㄹ'같은 원자로부터 '사랑'이 같는 의미를 추론하는 것은 불가능하다. 한글 자모에 들어있지 않았던 의미가 합쳐진 한글 자모에서 생성되었다. 새로 생겨난 '사랑'의 의미는 'ㅅ'과 'ㄹ'과 전혀 상관이 없다. 이것이 '창발'이다.

그동안 수많은 책의 조합이 내 생각과 마음을 거쳐갔다. 사람마다 무한에 가까운 조합으로 구성된 책을 만났을 테다. 그 무작위의 조합 중 어느 우연의 순간에 내 안에 창발이 생겼을지 의문이다. 과학을 받아들이게 된 순간, 과학에 반한 순간이 언제인지 스스로도 짐작할 수 없다. 그러나 이미 창발은 일어났다. 생명이 희박한 우연과 확률 속에서 탄생한 신비처럼 소중한 창발을 간직하고 싶다.

과학이 성공을 한 또 다른 이유는 오류 수정 장치가 과학의 핵심에 내장되어 있다는 것이다. 오류가 있으면 수정한다는 게 과학에서만 일어나는 일이 아니기 때문에 어떤 이들은 지나친 범주화라고 비판할 수도 있겠지만, 내 생각에는 우리가 자기 비판을 할 때마다, 우리의 생각을 바깥세상에 적용해서 검증할 때마다, 우리는 과학을 하는 셈이다. 우리가 자신에 대해서 관대하고 무비판적일 때, 희망과 사실을 혼동할 때, 우리는 유사 과학과 미신으로 미끄러져 들어간다.

칼 세이건, 『악령이 출몰하는 세상』
(사이언스북스, 2022)

동네 하천의 산책길에 어느 새부터 맨발로 걸어다니는 중년세대 사람들이 많아졌다. 처음엔 유별난 한 두 사람인가보다 했는데 매일 매 시간마다 여러 사람이 맨발로 걸어다녔다. 이건 어딘가 방송에 이상한 요법이 나와서 어른들 사이에서 붐이 일었구나 싶었다. 평일 아침이나 오전에 줄곧 나오는 건강에 관련된 프로들이 있지 않은가. 공포 마케팅을 하기도 하고 검증되지 않은 의료 지식을 퍼트리기도 한다. PD들은 그 사실을 알면서도 시청률을 위해서 혹은 손잡은 기업과의 야합을 통해서 방송을 내보낸다.

맨발 걷기가 건강에 도움이 될 리가 없다. 물론 도움이 될 가능성도 존재할 수 있다. 그러나 아무런 학술적인 근거도 없을뿐더러 그게 정말 과학적으로 효과가 있었다면 일반의나 전문의를 통해 처방을 하고 치료요법으로 사용되었을 테다. 아는 사람은 아무도 그것을 제대로 된 무언가로 취급하지도 않지만 어떤 사람에게는 모든 신뢰와 기대가 한껏 들어간 무언가가 된다.

나는 2023년에도 과학적인 사고를 하지 못하는 사람들에 대해 의구심을 가졌지만 이내 반성했다. 나 역시 몇 년 전까진 인문학에만 몰두하던 샌님이었을 뿐 과학에 문외한인 지적 편식아동이었기 때문이다. 내가 가졌던 과학에 대한 무지, 과학에 대한 무관심은 사회의 발전에 큰 걸림돌이 되고 인류의 진보를 위해 노력하는 과학자들에게도 큰 피해를 끼치는 일이다. 그들의 연구를 알아주지도, 아니 알아듣지도 못하기 때문에 그들에게 힘을 실어줄 수도 없고 오히려 저하된 국민적 관심이 예산을 줄이고 과학자들의 기운을 빠지게 만든다.

칼 세이건은 유사과학 혹은 사이비 과학의 문제점을 이 두꺼운 책을 통해 말하고 있다. 그러나 기분 나쁘지 않게 말하는 그의 글쓰기 실력과 인품에 언제나 놀랄 뿐이다. 오래 가지고 있던 과학에 대한 내 무지와 무관심을 참회하는 뜻으로 과학을 사람들과 많이 이야기하고 독서토론을 진행하고 있다. 미안하고 고마워요, 칼 세이건!

휴대전화 메모장 앱에서 내가 자주 수정하는 문서가 하나 있는데, '읽을 책' 항목이다. 신문 서평을 읽거나 웹서핑을 하다가, 서점이나 도서관을 거닐다가, 관심이 가는 서적을 발견하면 제목과 저자를 이 항목에 메모해둔다. 그렇게 목록에 올려둔 책이 백 권은 확실하게 넘고, 천 권은 안 될 것 같다. 그 수백 권의 도서들이 거기서 경쟁을 벌인다. 딱히 번호를 매기는 건 아니지만 마음속에서 '읽지 않았지만 읽고 싶은 서적들의 순위'가 인기 차트처럼 수시로 바뀐다. 『사랑의 역사』는 늘 상위권에 있기는 한데, 한 번도 1위를 해본 적이 없다.

장강명, 『책, 이게 뭐라고』(모아북스, 2021)

어느 새부터 알라딘 인터넷 서점의 내 계정 장바구니에 들어가는 속도가 느려졌다. 클릭 한 번이면 1초 미만의 속도로 페이지가 바뀌어야 하는데 1.xx초의 속도로 페이지가 바뀐다. 장바구니에 담긴 책이 100권에 육박하기 때문이다. 이는 어느 정도 예견된 일이었다. 독서 중독자라면 스마트폰의 메모 어플이나 종이 수첩 등에 자신이 읽고 싶은 책, 읽어야 할 책의 리스트를 계속해서 쌓아가기 마련이다. 나는 어플과 수첩, 온라인 쇼핑몰의 장바구니까지 전방위적으로 책을 쌓는다. 나는 일주일에 한 번씩 서점에 가서 시장조사를 나온 마케터처럼, 새벽에 노량진 수산물 시장에 나가 입찰되어 들어온 활어를 경매하는 쉐프처럼 새로 나온 책을 스캔한다. 매대에 누워있는 책이 활어로 보인다는 말이다. 이미 중증의 지경에 이른 것이다.

그렇게 누워있는 책의 표지로 사진첩이 가득하고 그 사진은 그대로 온라인 서점 장바구니에 들어간다. 내 머릿속에는 읽고 있는 책과 읽어야할 책과 읽고 싶은 책 그리고 사고 싶은 책과 사야할 책으로 가득하다. 마치 광장시장이나 평화시장처럼 제각각 가야 할 길과 목적으로 바삐 돌아다니는 손님들과 상인들과 흡사하다. 그러니 나는 다른 데 신경쓸 겨를이 없다. TV프로그램 『유퀴즈』에 나온 이동진 평론가가 한 말이 웃겨서 기억이 난다. 직장 생활도 하면서 공부도 하고 운동도 하고 부업도 하는 방법은 간단하다. 답은 '인간관계 망하면 가능하다'였다. 이동진 평론가 역시 2만 권의 장서를 가진 독서 중독자로서 어쩔 수 없는, 그러나 반가워 마지않는 선택으로 인간관계를 파기하고 그의 책의 궁전인 '파이아키아'에서 순교하기를 결정하셨으리라 생각한다. 인간관계에선 인기가 없어졌는지 모르지만 책의 세계에서는 모두 내 선택을 받고자 매 순간 한바탕 전쟁이 일어나고 있다. 시간은 유한하고 내 손에 쥐어질 책 역시 유한하기 때문이다. 글을 쓰는 중에 문 밖에 '툭'하는 소리가 났다. 책이 도착한 것이다. 책에 파묻히고 있어도 행복하다. 그게 중독자니까.

친구의 곤경에 통쾌함을 느끼면 심리적으로나 도덕적으로나 찜찜해지는 건 사실이다. 순전히 이기적인 이유로 어떤 감정을 느낀다고 인정하기란 결코 쉽지 않은데, 친구의 행복이 걸려 있는 문제라면 더욱 그럴 것이다. 순간적으로 은밀한 기쁨을 느낀다 해도 자신이 나쁜 사람처럼 느껴진다. 자신의 동기와 감정은 이기적인 것이 아니라고 자신뿐만 아니라 주변 사람들까지 속일 수 있을지 몰라도, 그렇게 속일 때 우리는 프리드리히 니체가 말한 '우리 자신에게 낯선 타자'가 될지도 모른다. 경쟁이 치열한 다른 수많은 영역에서와 마찬가지로 짝짓기 게임에서도 이기적인 감정이 자연스레 생겨나고 우리의 이타적인 충동을 억누르는 경우가 많다. 경쟁 상황에서 우리가 강하게 품게 되는 의문은 바로 이것이다. "나한테 돌아오는 게 뭐지?"

리처드 스미스, 『쌤통의 심리학』 (현암사, 2015)

인간관계의 성공과 실패를 반복해 경험하게 되면 시간이 지나고 난 후의 내 모습이 사뭇 달라져 있음을 발견하게 된다. 대부분 실패의 경험에서 자신의 패착을 찾고 요인이 되었던 마음, 자세, 태도를 거세하거나 수정한다. 동일한 일로 고통을 겪지 않도록, 어쩌면 이기적 유전자의 고마운 행동지침일지도 모른다. 이기적 유전자는 반대로 내 실패로 괴로워하는 일 대신 타인의 실패로 행복해할 기회도 허락한다. 그게 영어단어에 없는 단어, 샤덴프로이데(Schadenfreude)다.

타인이 불행하면 왜 내가 행복할까? 우리는 비나 눈이 오는 상황, 혹은 밖은 폭풍이 불고 천둥이 치는데 내 집 안의 벽난로는 잠잠히 타오르고 잠잠한 바흐의 LP음악이 흘러나오는 중에 몸이 푹 잠기는 아늑한 소파에 앉아 발 밑의 테이블에는 따뜻한 김이 올라오는 밀크티가 있다면, 세상의 행복을 다 가진 듯한 기분이 들지 않겠는가? 외부의 위험에서 차단되어 있다는 사실, 외부에 누가 있는지는 알 바 없지만 그는 위험하고 나는 안전하고 안락하다는 사실은 우리에게 쾌감을 준다. 이것은 원시시대부터 이기적 유전자에 각인되어온 생물학적 작용이다.

타인의 고통에 공감은 할 수 있는 예외가 있지만 그 고통이 실제로 내게 전이될 수 없다는 물리적 한계는 우리를 타인의 고통과 쾌락에서 분리시켜준다. 샤덴프로이데를 만끽하는 이런 과정이 누적되다보면 가끔은 나 자신도 스스로가 낯선 '타인'으로 느끼는 때가 생기기도 한다. 그런데 이제는 그런 낯선 기시감이 불편하지 않다. 인간관계의 영광과 오욕을 많이 맛보아서 그런 걸까? 주변을 둘러보니 모두들 그렇게 보인다. 모두 속으로 샤덴프로이데를 느끼며 겉으론 내색하지 않고 살아갈 거라는 사실을 생각하니 웃음이 나고 오히려 유쾌하지 않은가? 자신을 낯설게 느끼는 순간이 남아있다면 그것을 양심이라고 불러야 할까, 위선이라고 느껴야할까. 그 부분이 아직도 궁금하다.

우리에게는 광장과 밀실, 두 개의 공간이 필요합니다. 우리는 광장에서만 살 수도 없고, 또 밀실에서만 틀어박혀 있을 수도 없습니다. 광장에서는 필연적으로 피로와 상처가 동반되는데, 그것은 밀실에서만 치료와 회복이 되기 때문입니다. 그리고 밀실에서는 이런저런 자신만의 생각과 반성을 하게 되는데요. 이러한 생각과 반성은 광장에서 그것이 유아적 망상이 아님을 확인받을 필요가 있습니다. 그래서 우리에게는 두 개의 공간이 필요하다는 것입니다. (...) 이것은 굉장히 중요합니다. 왜냐하면 우리는 살아가면서 어떤 대상이나 목적에 대해서만 생각하지, 그 대상이나 목적이 왜 중요한지에 대해서는 생각하지 못하는 경우가 있기 때문입니다. 그래서 철학이라는 밀실에서 자신의 생각을 점검할 필요가 있는 것입니다.

김필영, 『5분 뚝딱 철학』(스마트북스, 2021)

철학을 처음 읽기 시작했을 때를 회고해 본다. 철학의 고등학교 사회탐구 버전인 '윤리와 사상'을 선택하지 않았기 때문의 나의 철학 공부는 그저 책을 읽는 것이었다. 원전은 당연히 읽지 못하니 2차 자료나 대중 교양서를 찾아 읽어야 했다. 어떤 철학책을 골라 집어도 플라톤부터 시작했다. 조금 더 고지식한 책은 소피스트나 피타고라스를 소개했고 철학의 원조 중 원조는 '만물의 근원은 물이다'의 탈레스까지 갔다. 어떻게 기억하냐고? 우리는 국사의 전체 내용에는 자신 없어해도 선사시대와 구석기 역사에는 전 국민이 석사 학위가 있다. 그만큼 앞 페이지만 여러 번 봤다는 뜻이다. 나는 그런 전철을 밟고 싶지 않았다.

그래서 오히려 현대 철학부터 거꾸로 공부했다. 2007년 당시에 프랑스의 철학자 장 보드리야르가 사망했다. 그래서 손에 잡히는 철학자부터 공부한 것이 그였다. 그의 『시뮬라시옹와 시뮬라크르』, 『소비의 사회』를 풀어 쓴 여러 교양서를 읽고 대단한 지적 흥미를 갖게 되었다. 그를 필두로 포스트모더니즘과 구조주의 철학을 많이 읽었다. 데리다나 가타리, 리오타르, 푸코, 부르디외, 라캉 등도 읽었다. 이해가 되든 안 되든 읽었다. 그리고 거꾸로 역사의 아래로 읽어내려갔다. 포스트모더니즘 전엔 모더니즘이 있을테니 비판 학파, 맑시즘, 해석학과 실존주의, 현상학 그리고 관념론과 경험론... 그렇게 내려가다 보니 공부의 탑이 억지로 세워진 것 같아도 공부하는 흥미는 더욱 생겼다.

이젠 여느 철학자를 들이밀어도 대략 어떤 생각을 가졌었고 뭘 말하고자 했는지 감은 잡는다. 좋아하는 하이데거나 사르트르, 호르크하이머나 부르디외 같은 철학자의 생각에 대해선 조금 말할 수도 있다. 이제는 어디 갔는지 알 수 없지만 수많은 수첩과 공책에 생각의 편린을 적어두었다. 어딘가 산화한 것만 같은 그 생각들. 그 종이가 모여 책이 된다면 내게 짐이 되었을까 아니면 득이 되었을까!

고작 7-8명의 익명적인 사람들이 단 댓글, 게다가 댓글이 얼마나 쉽게 조작이 가능한지도 아는 상황에서 그것으로 인해 여론을 달리 판단하는 것은 그리 합리적인 사고라고 보기 어렵기 때문에, 저는 인지 욕구가 높은 사람들과 낮은 사람들 간에 댓글의 영향이 다르게 나타나지 않을까 생각했습니다. 즉, 얼마나 체계적이고 분석적으로 사고하는가에 따라 댓글을 보고 여론을 추정하는 정도가 다르게 나타나지 않을까 예상했는데요. 실제 연구 결과는 그렇지 않았습니다. 인지 욕구가 높은 사람들이나 낮은 사람들이나 공히 댓글을 통해 여론을 판단하는 것으로 나타났습니다. (...) 인지 욕구가 높은 사람도 여론 인식에 있어서는 댓글의 영향을 받았지만, 본인의 의견을 댓글과 같은 방향으로 수정하는 경향은 깊이 있게 생각하는 걸 귀찮아하고 회피하는, 즉 인지 욕구가 낮은 사람들에게서만 나타났습니다.

최인철 외, 『헤이트』(마로니에북스, 2021)

사회의 분위기, 대다수의 생각 즉 여론을 알 수 있는 방법은 무엇일까? 사람들을 최대한 많이 만나서 생각을 물어보는 건 너무나 비효율적이다. 그래봤자 친구들 뿐인데 집단도 제한적이고 표본도 적다. 인터넷 댓글엔 나이와 출신을 가리지 않고 모든 사람이 섞여있으니 신뢰도가 높을까? 막연하게 생각하면 그럴 수도 있지만 실제로 댓글을 쓰는 사람은 나이는 다양하더라도 행동 패턴상 대부분 같은 결의 사람들이라는 생각이 든다. 포털 사이트의 댓글창 뿐만 아니라 유튜브의 댓글도 마찬가지다. 댓글을 다는 사람들이 궁금해진다.

　나는 댓글로 표현되는 혐오의 온상인 인터넷이 일찍이 증오의 인큐베이터가 되리라는 예상을 했다. 그건 특별한 혜안이 아니었고 당연한 귀결이었다. 지금도 인터넷은 무작위로 어떤 사이트의 어떤 게시글에 들어가도 반드시 싸움이 일어나고 있다. 혐오하는 것 없이 진입했어도 집단의 혐오를 통해 혐오의 씨앗이 발아되고 인터넷 공간에서 차근차근 숙성되어 배양된다.

　신기한 것은 공감 능력이 높을수록 혐오의 뿌리도 깊다는 점이다. 공감능력이 낮으면 남의 일에 신경을 쓰지 않기 때문에 타인이 자신의 뜻에 반하는 행동을 하더라도 혐오조차 하지 않는다. 남의 인생이기 때문이다. 공감능력이 높은 사람은 타인의 고통에 직간접적으로 자신의 고통이 닿아있는 사람이다. 그래서 일반적으로 피해를 당하는 사람들의 입장에 선다고 하는 사람들이 더욱 많은 혐오를 하는 경향이 있다. 그런 사람들이 많아지면 또 반대급부로 혐오를 받는 사람들이 많아지게 된다. 욕을 먹고 가만히 있는 사람은 없기 때문이다.

　혐오는 자동차의 엑셀레이터처럼 움직이고 있는 중에 엑셀이 들어가면 더욱 가속되는 것과 같다. 처음에 움직이지 않는 물체를 움직이려면 더 큰 힘이 필요하다. 혐오는 처음부터 움직이지 않도록 말을 지켜야 시작되지 않는다. 이 시대는 너무 많은 자유와 방종이 만연하다. 혐오의 속도가 멈추려면 방종의 끝에 절벽이 나타나야 한다.

글을 마치며

지난 두 번째 책에 적은 에필로그와 같이 먼저 한 글을 떠올려 본다. 다음은 일본 만화의 전설적 대부 데즈카 오사무의 『붓다』에 나오는 장면이다.

"붓다! 나를 구원해주시오! 어떻게 하면 이 괴로움에서 벗어날 수 있는지 가르쳐 주시오!"
"방법은 하나입니다. 나무가 되십시오. 나무가 되었다고 생각하는 겁니다. 나무는 어떠한 욕망도 없습니다."
"나를 놀리는 게요? 사람이 나무가 될 리가 없지 않소!"
"운명에서 도망칠 수 없다면 용기를 갖추고, 각오를 세우고, 바른 행동을 하십시오. 바른 생활을 하면서 그날을 기다리는 것입니다!"

사람은 홀로 있는 시간을 두려워 한다. 혼자 있는 시간을 즐거워하는 사람은 번잡한 사회 속에서 사람들에 치이고 집으로 돌아가도 돌보고 신경써야 하는 가족이 있기에 단 한 순간도 혼자 있지 못한 사람이 오랜만에 찾아온 고요를 즐기는 것이다. 또 고독에 오래 노출된 사람은 사람을 찾아 이 모임 저 모임 어슬렁 거리며 방황한다. 군중 속에 있어도 마치 망망대해의 바다 위에서 소금물을 마시는 일처럼 채워지지 않는 고독을 채우려 애쓴다. 그렇게 사람은 근원적인 고독을 견디지 못한다.

외로운 기분이 들면 버티지 못하고 계속 누군가에게 찾아가기 때문에 외로움을 버틸 힘을 키우지 못한다. 감기에 걸렸을 때 자신의 면역력과 저항력을 가지고 스스로 병을 이겨내야만 이후에 같은 감기에 걸리지 않는 면역이 생긴다. 스스로의 힘으로 이겨낼 수 있는 정도의 미약한 고난에도 외부의 힘에 의존해서는 앞으로 다가올 미래를 장담할 수 없다.

작은 일을 크게 해석한다고 생각할 수도 있지만 이는 작은 눈공을 굴려 나중에는 눈사태가 일어나는 일과 같다. 삶의 작은 외로움을 타인에게 의존해 풀게 되면 인생의 모든 부분을 외부에 의존하게 된다. 종국에는 내 삶을 스스로 살아내는 것이 귀찮게 된다. 타인이 내 삶을 대신 살아줬으면 하는 생각을 한다. 그러나 내가 죽지 않는 이상 매일 해는 동일하게 떠오르고 동일하게 진다. 내게는 매일 24시간이라는 시간이 주어진다. 누군가에게는 축복이나 누군가에게는 저주다.

고독을 고통스러운 일로 받아들이지 않고 비로소 나로서 존재할 수 있는 시간이라는 사실을 배우게 된다면 그제서야 고독을 기쁘고 다정한 마음으로 맞이할 수 있다. 누구도 내 삶을 대신 살아줄 수 없고 고통을 대신 짊어질 수 없다. 또 교훈을 통해 깨닫는 지혜와 지식도 대신 알아줄 수가 없고 기쁨과 환희 또한 전달해줄 수 없다. 이것은 인간, 아니 살아있는 생명에게 주어진 운명이다!

붓다의 가르침은 담백하다. 그의 말은 냉정하고 차갑게 들릴지도 모른다. '사실이 이러하니 받아들여라. 네가 받아들이든 받아들이지 않든 세상은 신경쓰지 않는다. 그렇게 흘러가는 게 세상이자 이치다. 살 것인지 죽을 것인지는 너가 선택해라.'라고 들릴지도 모른다. 그러나 운명에서 벗어날 수 없는 것은 붓다도 마찬가지임을 잊지말자. 그역시 고통 속에서 번민한 사람이다. 그의 말은 고독을 체화하지 못하는 우리 현대인에게 의미가 있다.

'운명에서 벗어날 수 없다면 용기를 갖추고, 각오를 세우고, 바른행동을 하며 그날을 기다린다.' 바른 행동이란 이 책에서 말한 독서다. 독서란 행위는 인간은 고독한 존재이며 누군가가 대신 살아줄 수없는 인생이란 운명을 직시하는 행위다. 독서는 그 사실을 인정하는용기를 갖추고 스스로 고독을 받아들이고 살아내겠다는 각오를 세우는 일이다. 바른 행동을 하며 기다릴 그날은 모두가 각자 맞이할 자기 자신으로서 자유해지는 순간이다. 자신을 잘 알게 되면 누군가의시선과 기대에 어긋나더라도 좌절하거나 창피해하지 않는다. 스스로안에서 자생하는 힘이 생겨났기 때문이다.

독서의 길은 끝이 없으나 책 역시 그 사실을 알면서 나를 부른다. 그러므로 서두를 필요도 조급할 필요도 없다. 세상엔 나를 부르는 책이 너무나 많다. 그러나 내게 주어진 삶은 유한하고 한정되어 있다. 자유로운 응답으로 책과의 교제를 할 뿐이다. 지식을 주는 용도가 아니라 나를 한 사람으로 서게 하는 훈련을 시키는 스승이 책임을 뒤늦게 알았다. 고독을 주는 책, 고독을 참아내는 나, 그리고 어느새 스스로 고독을 살아가는 나와 글이 있다. 늘 정진하지만 부족하고, 지긋이걷다가도 때론 태만해지는 저자다. 그런 저자와 함께 멈추지 않고 느리게 또는 서둘러 걷는 길 위에서 발견하는 책의 목소리를 독자 여러분도 들으시리라 생각한다.